MALAY SENTENCE BUILDERS

A lexicogrammar approach

Beginner to Pre-Intermediate

FIRST EDITION

Imprint: Independently Published
Edited by Farah Fariza Abdul Mutalib

About the authors

Gianfranco Conti taught for 25 years at schools in Italy, the UK and in Kuala Lumpur, Malaysia. He has also been a university lecturer, holds a Master's degree in Applied Linguistics and a PhD in metacognitive strategies as applied to second language writing. He is now an author, a popular independent educational consultant and professional development provider. He has written around 2,000 resources for the TES website, which have awarded him the Best Resources Contributor in 2015. He has co-authored the best-selling and influential book for world languages teachers, "The Language Teacher Toolkit" and "Breaking the sound barrier: Teaching learners how to listen", in which he puts forth his Listening As Modelling methodology. Gianfranco writes an influential blog on second language acquisition called The Language Gym, co-founded the interactive website language-gym.com and the Facebook professional group Global Innovative Language Teachers (GILT). Last but not least, Gianfranco has created the instructional approach known as E.P.I. (Extensive Processing Instruction).

Dylan Viñales has taught for 15 years, in schools in Bath, Beijing and Kuala Lumpur in state, independent and international settings. He lives in Kuala Lumpur. He is fluent in five languages, and gets by in several more. Dylan is, besides a teacher, a professional development provider, specialising in E.P.I., metacognition, teaching languages through music (especially ukulele) and cognitive science. In the last five years, together with Dr Conti, he has driven the implementation of E.P.I. in one of the top international schools in the world: Garden International School. This has allowed him to test, on a daily basis, the sequences and activities included in this book with excellent results (his students have won language competitions both locally and internationally). He has designed an original Spanish curriculum, bespoke instructional materials, based on Reading and Listening as Modelling (RAM and LAM). Dylan co-founded the fastest growing professional development group for modern languages teachers on Facebook, Global Innovative Languages Teachers, which includes over 12,000 teachers from all corners of the globe. He authors an influential blog on modern language pedagogy in which he supports the teaching of languages through E.P.I. Dylan is the lead author of Spanish content on the Language Gym website and oversees the technological development of the site. He is currently undertaking the NPQML qualification, after which he plans to pursue a Masters in second language acquisition.

Saiful is a primary and secondary Malay teacher and Head of Primary Languages at Sri KDU International School, Subang Jaya with 15 years of experience, working in local and international schools in Kuala Lumpur and Selangor. He is also an experienced content creator with a background in creating high-quality material for both native and non-native speakers of Malay, from absolute beginner to higher level. Saiful has designed languages curricula and leads a successful languages department in his school in Sri KDU International School, Subang Jaya. Saiful has also experience writing textbooks and teachers' guidebooks for Malay foreign language. In the past, he worked with Dr Conti at the top international school in Malaysia, Garden International School, where he gained extensive knowledge about learning methods and teaching development plans. This experience and expertise have given him the confidence to continue working together to produce this book.

Acknowledgements

Writing a book is a time-consuming yet rewarding endeavour. Dylan would like to thank his wife, Natasha, for her help and support, for being an amazing mother and partner. He would also like to thank his parents, John and Angie, for their unconditional and unwavering support and love.

To acknowledge all of the support he has received during the writing of this book, Saiful would like to thank his family, the School Leadership Team, and his brother Mohamad Shahrul Syafiq. Mohamad Shahrul Syafiq, his family, and the school's SLT. Thank you for your encouragement. It has been a pleasure working with you, Dylan and Gianfranco. Thank you very much for being patient and wise in this process. There is a great deal of commitment, helpfulness, and greatness going on in this book community between both of you. It was a great experience to learn with both of you. My learning experience has been enriched by learning from the best.

Lastly, a huge thanks to our editor:

Farah graduated from the University of Technology MARA in the field of Teaching English as a Second Language in 2006. She has been teaching Malay as a Foreign Language at Garden International School since 2007. She has also pursued a postgraduate study with University of Malaya in Early Childhood Education. Her contributions to this book have gone far beyond editing and proofreading and we would like to thank her for her good humour, great team spirit, and superb attention to detail.

Terima kasih

Introduction

Hello and welcome to the first 'text' book designed to be an accompaniment to a Malay, Extensive Processing Instruction course. The book has come about out of necessity, because such a resource did not previously exist.

How to use this book if you have bought into our E.P.I. approach

This book was originally designed as a resource to use in conjunction with our E.P.I. approach and teaching strategies. Our course favours flooding comprehensible input, organising content by communicative functions and related constructions, and a big focus on reading and listening as modelling. The aim of this book is to empower the beginner-to-pre-intermediate learner with linguistic tools - high-frequency structures and vocabulary - useful for real-life communication. Since, in a typical E.P.I. unit of work, aural and oral work play a huge role, this book should not be viewed as the ultimate E.P.I. coursebook, but rather as a **useful resource** to **complement** your Listening-As-Modelling and Speaking activities.

Sentence Builders – Online Versions

Please note that all these sentence builders will be available on the Language Gym website, available to download, editable and optimised for displaying in the classroom. This is only available for users with a Language Gym subscription, via the Locker Room section.

How to use this book if you don't know or have NOT bought into our approach

Alternatively, you may use this book to dip in and out of as a source of printable material for your lessons. Whilst our curriculum is driven by communicative functions rather than topics, we have deliberately embedded the target constructions in topics which are popular with teachers and commonly found in published coursebooks.

If you would like to learn about E.P.I. you could read one of the authors' blogs. The definitive guide is Dr Conti's "Patterns First – How I Teach Lexicogrammar" which can be found on his blog (www.gianfrancoconti.com). There are also blogs on Dylan's wordpress site (mrvinalesmfl.wordpress.com) such as "Using sentence builders to reduce (everyone's) workload and create more fluent linguists" which can be read to get teaching ideas and to learn how to structure a course, through all the stages of E.P.I.

The book "Breaking the Sound Barrier: Teaching Learners how to Listen" by Gianfranco Conti and Steve Smith, provides a detailed description of the approach and of the listening and speaking activities you can use in synergy with the present book.

 **THE LANGUAGE GYM**

The basic structure of the book

The book contains 19 macro-units which concern themselves with a specific communicative function, such as 'Describing people's appearance and personality', 'Comparing and contrasting people', 'Saying what you like and dislike' or 'Saying what you and others do in your free time'. You can find a note of each communicative function in the Table of Contents. Each unit includes:

- a sentence builder modelling the target constructions;
- a set of vocabulary building activities which reinforce the material in the sentence builder;
- a set of narrow reading texts exploited through a range of tasks focusing on both the meaning and structural levels of the text;
- a set of translation tasks aimed at consolidation through retrieval practice;
- a set of writing tasks targeting essential writing micro-skills such as spelling, functional and positional processing, editing and communication of meaning.

Each sentence builder at the beginning of a unit contains one or more constuctions which have been selected with real-life communication in mind. Each unit is built around that construction <u>but not solely on it</u>. Based on the principle that each E.P.I instructional sequence must move from modelling to production in a seamless and organic way, each unit expands on the material in each sentence builder by embedding it in texts and graded tasks which contain both familiar and unfamiliar (but comprehensible and learnable) vocabulary and structures. Through lots of careful recycling and thorough and extensive processing of the input, by the end of each unit the student has many opportunities to encounter and process the new vocabulary and patterns with material from the previous units.

Alongside the macro-units you will find:

- grammar units: one or two pages of activities occurring at regular intervals. They explicitly focus on key grammar structures which enhance the generative power of the constructions in the sentence builders. At this level they mainly concern themselves with full conjugations of key verbs, with agreement and preposition usage. Note that these units recycle the same verbs many times over by revisiting at regular intervals but in different linguistic contexts;
- question-skills units: one or two pages on understanding and creating questions. These micro-units too occur at regular intervals in the book, so as to recycle the same question patterns in different linguistic contexts;
- revision quickies: these are retrieval practice tasks aimed at keeping the previously learnt vocabulary alive. These too occur at regular intervals;
- self-tests: these occur at the end of the book. They are divided into two sections, one for less confident and one for more confident learners.

The point of all the above micro-units is to implement lots of systematic recycling and interleaving, two techniques that allow for stronger retention and transfer of learning.

Important *caveat*

1) This is a '**no frills**' book. This means that there are a limited number of illustrations (only on unit title pages). This is because we want every single little thing in this book to be useful. Consequently, we have packed a substantive amount of content at the detriment of its outlook. In particular, we have given serious thought to both **recycling** and **interleaving**, in order to allow for key constructions, words and grammar items to be revisited regularly so as to enhance exponentially their retention.

2) **Listening** as modelling is an essential part of E.P.I. There will be an accompanying listening booklet released shortly which will contain narrow listening exercises for all 19 units, following the same content as this book.

3) **All content** in this booklet matches the content on the **Language Gym** website. For best results, we recommend a mixture of communicative, retrieval practice games, combined with Language Gym games and workouts, and then this booklet as the follow-up, either in class or for homework.

4) An **answer booklet** is also available, for those that would like it. We have produced it separately to stop this booklet from being excessively long.

5) This booklet is suitable for **beginner** to **pre-intermediate** learners. This equates to a **CEFR A1-A2** level, or a beginner **Y6-Y8** class. You do not need to start at the beginning, although you may want to dip in to certain units for revision/recycling. You do not need to follow the booklet in order, although many of you will, and if you do, you will benefit from the specific recycling/interleaving strategies. Either way, all topics are repeated frequently throughout the book.

We do hope that you and your students will find this book useful and enjoyable.

Gianfranco and Dylan

TABLE OF CONTENTS

 **THE LANGUAGE GYM**

UNIT 1
Talking about my age

In this unit you will learn:

- How to say your name and age
- How to say someone else's name and age
- How to count from 1 to 16
- A range of common Malay names
- The words for brother and sister

Umur saya satu tahun

Umur saya sepuluh tahun

Umur saya enam tahun

Umur saya lima belas tahun

UNIT 1
Talking about my age

Nama saya *My name is* Saya bernama *I am named*	Ahmad Ann Angeline Alex Basariah Brenda Dawson	dan *and*	umur saya *my age* saya berumur *I am aged*	satu	1	tahun *year/ years old*
				dua	2	
				tiga	3	
				empat	4	
				lima	5	
				enam	6	
				tujuh	7	
				lapan	8	
Nama adik saya *My younger sibling's name is* Nama kakak saya *My older sibling's name is*	Ezira Halimatun Justin Kumar Ong Syahbandi Ziana		umur dia *his/ her age* dia berumur *he/ she is aged*	sembilan	9	
				sepuluh	10	
				sebelas	11	
				dua belas	12	
				tiga belas	13	
				empat belas	14	
				lima belas	15	
				enam belas	16	

Author's notes:

Adik *is a younger brother or sister while* *abang* *is an older brother and* *kakak* *is an older sister. The terms* *lelaki* *or* *perempuan* *can be added to* *adik* *to indicate if the younger sibling is a brother or sister, e.g.* *adik lelaki* *'younger brother' and* *adik perempuan* *'younger sister'.*

THE LANGUAGE GYM

Unit 1. Talking about my age: VOCABULARY BUILDING

1. Match up

setahun	seven years
dua tahun	four years
tiga tahun	five years
empat tahun	six years
lima tahun	eleven years
enam tahun	ten years
tujuh tahun	nine years
lapan tahun	two years
sembilan tahun	eight years
sepuluh tahun	one year
sebelas tahun	twelve years
dua belas tahun	three years

2. Complete with the missing word

a. Umur saya _____ tahun · *I am fourteen years old*

b. Nama abang saya ___ Ong · *My brother is called Ong*

c. Nama saya _____ Ziana · *My name is Ziana*

d. Umur _____ dua tahun · *My brother is two*

e. Umur _____ empat tahun · *My sister is four*

f. _____ ialah Angeline · *My name is Angeline*

Nama saya	abang saya	kakak saya
ialah	ialah	empat belas

3. Translate into English

a. Umur saya tiga tahun

b. Umur saya lima tahun

c. Umur saya sebelas tahun

d. Umur dia lima belas tahun

e. Umur dia tiga belas tahun

f. Umur dia tujuh tahun

g. Abang saya

h. Kakak saya

i. Nama saya

4. Broken words

a. Dua be_____ *twelve*

b. Nama say____ *my name is*

c. Kak_____ *my sister*

d. Lim_____ *fifteen*

e. Ena_____ *sixteen*

f. Seb_____ *eleven*

g. Sem_____ *nine*

h. Emp_____ *fourteen*

i. Du_____ *twelve*

5. Rank the people below from oldest to youngest as shown in the example

Umur Syah lima belas tahun	1
Umur Tan tiga belas tahun	
Umur Farah dua tahun	
Umur Dawson empat tahun	
Umur Michelle setahun	
Umur Ezira lima tahun	
Umur Ziana sembilan tahun	
Umur Ong tiga tahun	

6. For each pair of people write who is the oldest, as shown in the example

A	B	OLDER
Umur saya sebelas tahun	Umur saya tiga belas tahun	B
Umur saya tiga tahun	Umur saya enam tahun	
Umur saya sebelas tahun	Umur saya dua belas tahun	
Umur saya lima belas tahun	Umur saya tiga belas tahun	
Umur saya empat belas tahun	Umur saya sebelas tahun	
Umur saya lapan tahun	Umur saya sembilan tahun	
Umur saya sebelas tahun	Umur saya tujuh tahun	

THE LANGUAGE GYM

Unit 1. Talking about my age: READING

Nama saya ialah Ali. Saya bangsa Melayu. Saya berumur dua belas tahun dan saya tinggal di Kuala Lumpur, ibu negara Malaysia. Saya ada seorang abang bernama Abu. Abu berumur empat belas tahun.

Nama saya ialah Dawson. Saya bangsa Cina. Saya berumur sepuluh tahun dan saya tinggal di Ayer Keroh, di negeri Melaka. Saya ada seorang adik bernama Kay Leen dan seorang abang bernama Ong. Kay Leen berumur lima tahun. Ong berumur sembilan tahun.

Nama saya Lalitha. Saya bangsa India. Saya berumur tiga belas tahun dan saya tinggal di Johor Baharu, ibu negeri Johor. Saya ada seorang abang bernama Kumar. Kumar berumur lima belas tahun.

Nama saya Marina. Saya bangsa Melayu. Saya berumur sepuluh tahun dan saya tinggal di Georgetown, ibu negeri Pulau Pinang. Saya mempunyai seorang kakak bernama Izzati. Izzati berumur sebelas tahun. Saya juga mempunyai seorang adik lelaki bernama Azfar. Azfar berumur lapan tahun.

Nama saya Prisha. Saya bangsa India. Saya berumur tujuh tahun dan saya tinggal di Ipoh, ibu negeri Perak. Saya mempunyai seorang kakak bernama Prema. Prema berumur tiga belas tahun. Saya juga mempunyai seorang abang bernama Kishan. Kishan berumur sepuluh tahun.

Nama saya Hani. Saya bangsa Melayu. Saya berumur empat belas tahun dan saya tinggal di Labuan, negeri Sabah. Saya ada dua abang. Nama abang saya ialah Zaki dan nama adik saya ialah Zaini. Zaki berumur enam belas tahun dan Zaini lima belas tahun.

1. Find the Malay for the following items in Ali's text

a. I am Malay

b. I am called

c. the capital

d. in Kuala Lumpur

e. who is called Abu

f. I am twelve

g. is fourteen

2. Answer the following questions about Dawson

a. Where is Dawson from?

b. How old is he?

c. How many siblings does he have?

d. What are their names and ages?

3. Complete the table below

	Age	Nationality	How many siblings	Ages of siblings
Ali				
Dawson				
Marina				

4. Marina, Lalitha, Prisha or Hani?

a. Who is from Labuan, Sabah?

b. Who has an 13-year-old sister?

c. Who is 11?

d. Who has an older brother aged 16?

e. Who has a 15-year old brother?

THE LANGUAGE GYM

4

Unit 1. Talking about my age: TRANSLATION

1. Faulty translation: spot and correct (in the English) any translation mistakes you find below

a. Nama kakak saya ialah Ezira: *Her name is Ezira*

b. Saya ada dua kakak: *I have two brothers*

c. Kakak saya bernama Halimah:

My mother is called Halimah

d. Umur abang saya 5 tahun: *My sister is 5*

e. Umur saya lima belas tahun: *I am five*

f. Umur abang saya lapan tahun:

My brother is seven

g. Saya ada seorang kakak: *I don't have a sister*

h. Umur saya 16 tahun: *I am 17*

i. Umur saya 12 tahun: *I am 13*

j. Nama abang saya Junaidi: *My name is Junaidi*

2. From Malay to English

a. Nama abang saya ialah Kumar.

b. Umur saya 15 tahun.

c. Umur abang saya 6 tahun.

d. Nama adik saya ialah Maria.

e. Umur saya tujuh tahun.

f. Saya tinggal di Tanjung Tokong.

g. Umur kakak saya empat belas tahun.

h. Saya ada seorang abang dan kakak.

i. Hani berumur dua belas tahun.

j. Umur Qareez sembilan tahun.

3. English to Malay translation

a. My name is Ezira. I am six.

b. My brother is fifteen years old.

c. I am twelve.

d. My sister is called Aminah.

e. I am fourteen.

f. I have a brother and a sister.

g. My name is Falih and I am fourteen.

h. My name is Ah Meng and I am eleven.

i. My name is Sani. I am ten. I have a brother and a sister.

j. My sister is called Balkis. She is twelve.

Unit 1. Talking about my age: WRITING

1. Complete the words

a. N_____ s_____ ia_____ Patimah

b. Saya beru_____ tiga be_____ ta_____

c. Umur abang saya li_____ ta_____

d. Na_____ abang saya ia_____ Mu_____

e. Na_____ saya ia_____ Reza

f. Na_____ adik saya ia_____ Fezri

g. U_____ saya tiga ta_____

h. Na_____ saya ia_____ Aminah

2. Write out the numbers in Malay

nine	s_____
seven	t_____
twelve	d_____
five	l_____
fourteen	e_____
sixteen	e_____
thirteen	t_____
four	e_____

3. Spot and correct the spelling mistakes

a. Nama saya adalah Mukhriz.

b. Saya abang umur lima tahun.

c. Nama kakak saya ialah Ali.

d. Nama abang saya ialah Fatimah.

e. Saya nama ialah Mukhriz.

f. Saya kakak umur sepuluh tahun.

4. Complete with a suitable word

a. _____ kakak saya ialah Latifah.

b. _____ abang saya lima belas tahun.

c. _____ saya ialah May Lin.

d. Nama abang saya _____ Falix.

e. Nama kakak saya _____ Fatimah.

f. _____ abang saya empat belas tahun.

5. Guided writing – write 4 short paragraphs in the first person singular 'I' each describing the people below

	Age	Lives in	Race	Brother's name and age	Sister's name and age
Nor Lely	12	Pulau Pinang	Melayu	Kamil 9	Nor Lela 8
Viji	15	Perak	India	Manee 13	Radha 5
Edayu	11	Sabah	Kadazan	Yaya 7	Putra 12
Tan	10	Johor	Cina	Ken 6	Marry 1

6. Describe this person in the third person:

Name: Sophei

Age: 12

Lives in: Pulau Pinang

Brother: Kamal, 13 years old

Sister: Khadijah, 15 years old

THE LANGUAGE GYM

UNIT 2
Saying when my birthday is

In this unit you will learn to say:

- Where you and another person (e.g. a friend) are from
- When your birthday is
- Numbers from 15 to 31
- Months
- I am/ He is/ She is
- Where you live

UNIT 2
Saying when my birthday is

Siapa nama anda? *What is your name?* **Anda berasal dari mana?** *Where do you come from?*
Bilakah hari lahir anda? *When is your birthday?*
Siapa nama kawan Anda? *What is your friend's name?*
Dia berasal dari mana? *Where does he/she come from?*
Bilakah hari lahir kawan anda? *When is your friend's birthday ?*

Nama saya ialah Rizal *My name is Rizal*	**Saya berasal dari** *I am from Perlis* ***Umur saya X tahun** *I am X years old*	**dan** *and* **hari lahir saya pada** *my birthday is on*	1 - satu 2- dua 3 - tiga 4 - empat 5 - lima 6 - enam 7 - tujuh 8 - lapan 9 - sembilan 10 - sepuluh 11 - sebelas 12 - dua belas 13 - tiga belas 14 - empat belas 15 - lima belas 16 - enam belas 17 - tujuh belas 18 - lapan belas	**Hari bulan** *Day month*
Nama kawan saya ialah *My friend name is* **Nama kawan saya ialah** *My friend name is*	**Dia berasal dari** *he/ she is from* ***Umur dia X tahun** *he/ she is X years old*	**dan** *and* **hari lahir dia pada** *his/ her birthday is on*	19 - sembilan belas 20 - dua puluh 21 - dua puluh satu 22 - dua puluh dua 23 - dua puluh tiga 24 - dua puluh empat 25 - dua puluh lima 26 - dua puluh enam 27 - dua puluh tujuh 28 - dua puluh lapan 29 - dua puluh sembilan 30 - tiga puluh 31 - tiga puluh satu	**Januari** **Februari** **Mac** **April** **Mei** **Jun** **Julai** **Ogos** **September** **Oktober** **November** **Disember**

Author's note: *Don't forget! The Malay language uses the word 'dia' to describe both men and women. You will see it many times throughout this booklet! In Malay is/ are can be used as ialah sometimes but not always.* ☺

THE LANGUAGE GYM

Unit 2. Saying when my birthday is: VOCABULARY BUILDING

1. Complete with the missing word

a. Nama saya _____ Farid — *My name is Farid*

b. _____ kawan saya ialah Siti — *My friend name is Siti*

c. Nama k_____ saya ialah Ranjit — *My friend name is Ranjit*

d. Hari lahir saya _____ pada — *My birthday is on the...*

e. _____ hari bulan Mei — *The fifth of May*

f. Lapan _____ hari bulan November — *The 18th November*

g. Empat hari bulan J_____ — *The 4th July*

h. Hari _____ dia pada — *His/her birthday is on the...*

2. Match up

April	May
November	my birthday
Disember	my friend
Mei	April
Januari	November
Februari	he/ she is
hari jadi saya	called
kawan saya	December
nama saya	My name is
ialah	February
nama dia ialah	January

3. Translate into English

a. Empat belas hari bulan Januari

b. Lapan hari bulan Mei

c. Tujuh hari bulan Februari

d. Dua puluh hari bulan Mac

e. Sembilan belas hari bulan Ogos

f. Dua puluh hari bulan Julai

g. Dua puluh empat hari bulan September

h. Lima belas hari bulan April

4. Add the missing letter

a. Januar_   c. M_c   e. M_i   g. Jula_   i. Sept_mber   k. Nov_mber

b. Februar_   d. Ap_il   f. J_n   h. Og_s   j. Oktob_r   l. Dis_mber

5. Broken words

a. T_____ h_____ b_____ J_____ — *3rd Jan*

b. L_____ h_____ b_____ J_____ — *5th July*

c. S_____ h_____ b_____ O_____ — *9th Aug*

d D_____ b_____ h_____ b_____ M_____ — *12th March*

e. E_____ b_____ h_____ b_____ A_____ — *16th April*

f. S_____ b_____ h_____ b_____ D_____ — *19th Dec*

g. D_____ p_____ h_____ b_____ O_____ — *20th Oct*

h. D__p_____ e_____ h____ b__ M_____ — *24th May*

i. T__p_____ h____ b__ S_____ — *30th Sept*

6. Complete with a suitable word

a. Nama _____ Razlan

b. Saya _____ pada 2 hari bulan Mei

c. Nama _____ ialah Farid

d. Hari _____ saya pada 13 Mac

e. Hari lahir dia _____

f. Empat hari _____ Mac

g. Tiga belas _____ bulan Jun

h. Kawan _____ bernama...

i. Dia lahir pada _____ Mac

j. Lapan _____ bulan Jun

k. _____ dia ialah Abdullah

Unit 2. Saying when my birthday is: READING

Nama saya Sophei. Saya berumur dua belas tahun dan saya tinggal di Pulau Pinang. Hari lahir saya pada 12 September. Nama kawan saya ialah Sharifah dan dia berumur empat belas tahun. Hari lahirnya pada dua puluh lapan Mei. Pada masa lapang saya selalu bermain gitar. Sharifah juga! Nama kawan saya ialah Ezira. Dia berumur tiga puluh lima tahun dan seorang guru. Hari lahirnya pada dua puluh satu Jun. Ezira mempunyai seorang abang. Hari lahirnya pada 8 Januari.

Nama saya Norlely. Saya berumur dua puluh dua tahun dan saya tinggal di Johor Baharu, di selatan Malaysia. Hari lahir saya 10 September. Kawan saya bernama Natasya dan dia berumur lima belas tahun. Hari lahirnya pada dua puluh lapan Mei. Pada masa lapang saya selalu menonton televisyen.

Nama saya Natasha. Saya berumur tujuh tahun dan saya tinggal di Kuala Lumpur, ibu negara Malaysia. Hari lahir saya pada 5 Disember. Saya mempunyai dua orang abang, Nahmad dan Rahmad. Nahmad berumur sebelas tahun dan dia sangat baik. Hari lahirnya pada 30 September. Rahmad sangat nakal. Dia berumur tiga belas tahun dan hari lahirnya pada 5 Januari.

Nama saya Hanizah. Saya berumur lapan tahun dan saya tinggal di Labuan, Sabah. Hari lahir saya pada 9 Ogos. Adik perempuan saya berumur empat tahun. Dia seorang yang baik. Hari lahirnya pada 9 Ogos. Seperti saya! Rakan saya dipanggil Vanidah dan dia berumur tujuh belas tahun. Hari lahirnya pada 25 Oktober.

1. Find the Malay for the following items in Sophei's text

a. I am called:

b. I am 12 years old:

c. I live in Pulau Pinang:

d. My birthday is:

e. the twelfth of:

f. her birthday is on:

g. in my free time:

h. my friend:

i. is called:

j. she is 35:

k. the 21st of June:

l. has an older brother:

m. the eighth of January:

3. Answer these questions about Natasha

a. How old is she?

b. Where is Kuala Lumpur?

c. When is her birthday?

d. How many brothers does she have?

e. Which brother is good?

f. How old in Rahmad?

g. When is his birthday?

2. Complete with the missing words

Nama _____ Ana. _____ saya tiga belas _____ dan saya tinggal _____ Kuala Lumpur. Saya ada _____ kucing di rumah. _____ lahir saya pada bulan Disember.

4. Find Someone Who...

a. ...has a birthday in December

b. ...is 22 years old

c. ...shares a birthday with a sibling

d. ...likes to play the guitar with their friend

e. ...has a friend who is 35 years old

f. ...has a birthday in late September

g. ...has a little sister

h. ...has one good and one bad sibling

i. ...is from the South of Malaysia

Unit 2. Saying when my birthday is: WRITING

1. Complete with the missing letters

a. Na_ _ saya Azfar

b. Say_ tinggal d_ Kedah

c. Saya lah_ _ pada li_ _ hari bulan Ju_

d. Ha_ _ lah_ _ sa _ _

e. Kaw_ _ saya bern_ _ _ Ahmadi

f. Ahmadi tingg _ _ di Taiping

g. K _ k _ _ saya tin _ _ al d_ Putrajaya

h. Hari la_ _ r Kumar semb_ _ an Ogos

2. Spot and correct the spelling mistakes

a. Hari lehir saya empat bulan Januari

b. Namo saya Ahmad

c. Saya berasal di Johor

d. Kawhan saya bernama Cinta

e. Siva beromur sebelas tahan.

f. Umur saya emat belas tahun.

g. Hari lahir saya satu March

h. Umur saya lima balas tahun

3. Answer the questions in Malay

Siapa nama anda?

Berapakah umur anda?

Bilakah tarikh lahir anda?

Berapakah umur abang atau kakak anda?

Bilakah tarikh lahir abang atau kakak anda?

4. Write out the dates below in words as shown in the example

a. 15.05 *lima belas hari bulan Mei*

b. 10.06

c. 20.03

d. 19.02

e. 25.12

f. 01.01

g. 22.11

h. 14.10

5. Guided writing – write 4 short paragraphs in the 1st person singular 'I' describing the people below

Name	Town/ City	Age	Birthday	Name of brother	Brother's birthday
Rizal	Alor Setar	11	25.12	Aizat	19.02
Tan	Ipoh	14	21.07	Andy	21.04
Kumar	Ayer Keroh	12	01.01	Param	20.06
Jeet	Labuan	16	02.11	Sathvin	12.10

6. Describe this person in the third person:

Name: Radha

Age: 12

Lives in: Kota Tinggi, Johor

Birthday: 21.06

Brother: Maniam, 16 years old

Birthday: 01.12

THE LANGUAGE GYM

Unit 2. Saying when my birthday is: TRANSLATION

1. Faulty translation: spot and correct (in the English) any translation mistakes you find

a. Hari lahir saya ialah dua puluh lapan April: *His birthday is on the 27th April*

b. Nama saya Robert dan saya berasal dari Kuala Lumpur: *Your name is Robert and you are from Kuala Lumpur*

c. Saya berumur dua puluh tiga tahun: *I am 22 years old*

d. Nama kawan saya ialah Jordi: *My friend I am called Jordi*

e. Dia berumur dua puluh enam tahun: *I have 26 years old*

f. Hari lahirnya ialah 4 April: *My birthday is the 14th April*

3. Phrase-level translation

a. My name is

b. I am ten years old

c. My birthday is the...

d. ...the seventh of May

e. My friend is called Balkis

f. she is twelve years old

g. her birthday is on...

h. the 23rd of August

i. the 29th April

2. Translate from Malay to English

a. Lapan hari bulan Oktober

b. Hari lahir saya pada...

c. Nama kawan saya ...

d. Hari lahir dia pada...

e. Sebelas hari bulan Januari

f. Empat belas hari bulan Februari

g. Dua puluh lima Disember

h. Lapan Julai

i. 1 hari bulan Jun

4. Sentence-level translation

a. My name is Kamal. I am 30 years old. I live in Pulau Pinang. My birthday is on the 11th March.

b. My brother is called Kamil. He is 14 years old. His birthday is on the 18th August.

c. My friend is called Kumar. He is 22 years old and his birthday is on the 14th January.

d. My friend is called Nana. She is 18 years old and her birthday is on the 25th July.

e. My friend is called Nani. He is 20 years old. His birthday is on the 24th September.

UNIT 3
Describing hair and eyes

In this unit you will learn:

- To describe what a person's hair and eyes are like
- To describe details about their faces (e.g. beard and glasses)
- Colours
- I wear
- He/she wears

You will also revisit:
- Common Malay names
- Numbers from 1 to 16

UNIT 3
Describing hair and eyes

Nama saya ialah... *My name is* **Nama dia ialah** *His/ Her name is*	Ahmad Cici Farah Dilah Emma Fatima Ismail Jusuf Juliah Mariam Razak	**dan** *and*	**saya berumur** *my age is* **dia** *he/ she is*	**enam tahun** *6 years* **tujuh tahun** *7 years* **lapan tahun** *8 years* **sembilan tahun** *9 years* **sepuluh tahun** *10 years* **sebelas tahun** *11 years* **dua belas tahun** *12 years* **tiga belas tahun** *13 years* **empat belas tahun** *14 years* **lima belas tahun** *15 years* **enam belas tahun** *16 years*

Rambut saya... *My hair is* **Saya berambut** *I have hair (that is)* **Rambut dia...** or **Rambutnya** *He/ she has (that is)*	**coklat** *brown* **coklat gelap** *dark brown* **hitam** *black* **merah** *red* **perang** *blonde*	**dan** *and*	**beralun, ikal** *wavy* **botak** *bald* **kerinting** *curly* **lurus** *straight* **pendek** *short* **panjang** *long* **sederhana panjang** *medium length* **sangat pendek** *very short/ crew-cut* **tajam** *spiky*	

Mata saya berwarna... *My eyes are coloured* **Mata dia berwarna...** or **Matanya berwarna** *His/ Her eyes are coloured*	**biru** *blue* **coklat** *brown* **coklat gelap** *dark brown* **coklat muda** *light brown* **hijau** *green* **hitam** *black* **kelabu** *grey*	**dan saya** *and I* **dan dia** *and he/ she*	**memakai** *wear* **tidak memakai** *don't wear*	**cermin mata** *glasses*
			ada *have* **tidak ada** *don't/ doesn't have*	**janggut** *beard* **misai** *moustache*

Unit 3. Describing hair and eyes: VOCABULARY BUILDING

1. Complete with the missing word

a. Rambut saya _____   *I have brown hair*

b. Saya berambut _____   *I have blond hair*

c. Saya ada _____   *I have a beard*

d. Mata saya _____   *I have blue eyes*

e. Saya tidak memakai _____   *I don't wear glasses*

f. Rambut saya_____   *I have mid-length hair*

g. Mata saya _____   *I have black/dark eyes*

h. Saya _____ merah   *I have red hair*

2. Match up

rambut perang	brown hair
rambut hitam	black eyes
rambut coklat	moustache
mata hitam	green eyes
kacamata	black hair
misai	short hair
mata biru	long hair
mata hijau	red hair
rambut pendek	blonde hair
rambut panjang	glasses
rambut merah	blue eyes

3. Translate into English

a. Rambut kerinting

b. Mata biru

c. Saya memakai cermin mata

d. Rambut perang

e. Mata hijau

f. Rambut merah

g. Mata hitam

h. Rambut coklat

4. Add the missing letter

a. Ke_abu   c. _endek   e. Lu_us   g. Hit_m   i. Panj_ng   k. M_rah

b. ti_ak   d. Mema_ai   f. Co_lat   h.Ram _ ut   j. Keri_ting   l. Ma_a

5. Broken words

a. S____ a__ r_____ k_____   *I have curly hair*

b. S___ m____ c___ m___   *I wear glasses*

c. S____ a____ r___ p____   *I have short hair*

d. S____ t____ a___ m____   *I don't have a moustache*

e. S____ a____ m____ c____   *I have brown eyes*

f. ____a a___ j___   *I have a beard*

g. ____a b____ l___ t___   *I am eight years old*

h. N____ s____ i____ M___   *My name is Maria*

i. S____ b____ s___ t___   *I am nine years old*

6. Complete with a suitable word

a. Saya berumur lapan _____

b. _____ ada janggut

c. Saya _____ cermin mata

d. Saya _____rambut panjang

e. Saya ada _____ panjang

f. _____ memakai cermin mata

g. Saya _____ mata coklat

h. Saya ___ rambut warna perang

i. Saya tidak _____ misai

j. _ ada rambut lurus dan pendek

k. _____ kawan saya Ali

l. Saya _____ lapan tahun

Unit 3. Describing hair and eyes: READING

Nama saya Mazlan. Saya berumur dua belas tahun dan saya tinggal di Kuala Lumpur, ibu negara Malaysia. Saya ada rambut hitam, lurus, pendek dan mata biru. Saya memakai cermin mata. Saya lahir pada 10 September. Kakak saya ada rambut lurus. Dia berumur sepuluh tahun.

Nama saya Isma. Saya berumur lima belas tahun dan saya tinggal di Alor Setar, ibu negeri Kedah. Saya ada rambut merah, panjang, beralun dan mata biru. Saya tidak pakai cermin mata. Saya lahir pada 15 Disember.

Nama saya Haziq. Saya berumur sembilan tahun. Saya tinggal di Georgetown, ibu negeri Pulau Pinang. Saya ada rambut perang, sederhana panjang, beralun dan mata coklat. Saya tidak memakai cermin mata. Saya lahir pada 5 Disember. Nama abang saya ialah Tavis. Dia berumur lima belas tahun. Dia ada rambut merah, lurus, panjang dan mata hitam dan pakai cermin mata. Hari lahirnya pada 13 November. Dia sangat cergas.

Nama saya Alina. Saya berumur 8 tahun. Saya tinggal di Melaka, ibu negeri Melaka. Saya ada rambut perang, kerinting, panjang dan mata hijau. Saya pakai cermin mata. Saya lahir pada 9 Mei. Di rumah saya, ada tiga ekor haiwan; seekor kuda, seekor anjing dan seekor kucing. Nama abang saya ialah Sazlan. Dia berumur 14 tahun. Dia ada rambut perang, panjang, lurus dan mata hijau, sama seperti saya. Dia pakai cermin mata, seperti ayah. Hari lahirnya pada 2 Jun. Dia sangat bijak.

Nama saya Pahmi. Saya berumur sepuluh tahun dan saya tinggal di Shah Alam, ibu negeri Selangor. Saya ada rambut perang, pendek, lurus dan mata hijau. Saya pakai cermin mata. Saya lahir pada 8 April.

1. Find the Malay for the following items in Mazlan's text

a. I am called:

b. In:

c. I wear glasses:

d. My birthday is:

e. The tenth of:

f. I have:

g. Straight:

h. Black:

i. The eyes:

2. Answer the following questions about Isma's text

a. How old is she?

b. Where is Alor Setar?

c. What colour is her hair?

d. Is her hair wavy, straight or curly?

e. What length is her hair?

f. What colour are her eyes?

g. When is her birthday?

3. Complete with the missing words

Nama saya Pahmi. Saya _____ sepuluh tahun dan saya tinggal di _____ ibu negeri, _____. Saya _____ rambut perang, lurus, pendek dan _____ hijau. Saya _____ cermin mata. Saya _____ pada lapan April.

4. Answer the questions below about all five texts

a. Who has a brother called Sazlan?

b. Who is eight years old?

c. Who celebrates their birthday on 9 May?

d. How many people wear glasses?

e. Who has red hair and black-coloured eyes?

f. Who has a very intelligent brother?

g. Whose birthday is in April?

h. Who has brown, wavy hair and brown eyes?

Unit 3. Describing hair and eyes: TRANSLATION

1. Faulty translation: spot and correct (in the English) any translation mistakes you find

a. Rambut saya perang: *I have black eyes*

b. Dia ada mata biru: *He has brown eyes*

c. Dia ada janggut: *He has a beard*

d. Nama dia Fazrul: *I am called Fazrul*

e. Dia botak: *I have long hair*

f. Mata saya berwarna hijau: *I have green eyes*

g. Saya tinggal di Ipoh: *I am from Ipoh*

2. From Malay to English

a. Saya berambut perang

b. Mata saya berwarna hitam

c. Rambut saya lurus

d. Saya memakai cermin mata dan ada janggut

e. Saya ada misai

f. Saya memakai cermin mata hitam

g. Saya tidak ada janggut

h. Rambut saya kerinting

i. Saya berambut panjang

3. Phrase-level translation

a. blonde hair

b. I am called

c. I have

d. blue eyes

e. straight hair

f. He/ she has

g. Ten years

h. I have black eyes

i. I am nine years old

j. brown eyes

k. black hair

4. Sentence-level translation

a. My name is Qariz. I am ten years old. I have black and curly hair and blue eyes.

b. I am twelve years old. I have green eyes and blond, straight hair.

c. I am called Qistina. I live in Melaka. I have long blond hair and brown eyes.

d. My name is Sopi. I live in Pulau Pinang. I have black hair, very short and wavy.

e. I am fifteen years old. I have black, curly long hair and green eyes.

f. I am thirteen years old. I have red, straight long hair and brown eyes.

 **THE LANGUAGE GYM**

Unit 3. Describing hair and eyes: WRITING

1. Split sentences

Rambut saya	mata saya hijau
Saya ada	janggut
Rambut	perang
Rambut saya	kerinting
Saya ada rambut perang dan	berwarna hitam
Nama saya ialah	tahun
Saya berumur sepuluh	Zahid

2. Rewrite the sentences in the correct order

a. rambut kerinting Saya ada

b. ada janggut Saya tidak

c. Nama Rizal saya ialah

d. warna merah Rambut saya

e. ialah Paul Nama saya

f. hitam Saya ada mata

3. Spot and correct the grammar and spelling errors

a. Mata saya berwarna hitam

b. Nama adik saya Arif

c. Dia berrambut kerinting

d. Dia nama Manan

e. Saya umur empat balas

f. Rambut saya lurus

g. Mata saya hijua

h. Saya ada jangut

i. Saya mepakai cermin mata

j. Saya ada tidak misai

4. Anagrams

a. trambu

b. gutjang

c. tama

d. saimi

e. ningke

f. ngateli

g. dunghi

h. lutmu

5. Guided writing – write 3 short paragraphs in the first person singular 'I' describing the people below

Name	Age	Hair	Eyes	Glasses	Beard	Moustache
Hamad	12	Brown Curly Long	Green	Wears	Does not have	Has
Ezira	11	Blond Straight Short	Blue	Doesn't wear	Does not have	Does not have
Farah	10	Red Wavy Medium-length	Black	Wears	Does not have	Does not have

6. Describe this person in the third person:

Name: Ahmad

Age: 15

Hair: Black, curly, very short

Eyes: Brown

Glasses: No

Beard: Yes

UNIT 4
Saying where I live and am from

In this unit you will learn to talk about:

- Where you live and are from
- If you live in an apartment or a house
- What your accommodation looks like
- Where it is located
- The names of cities and provinces in Malaysia

You will also revisit:

- Introducing yourself
- Telling age and birthday

UNIT 4
Saying where I live and am from

Nama saya ialah Daud dan... *My name is Daud and...*	**saya tinggal di** *I live in*	**sebuah rumah** *a house*	**besar** *big* **cantik** *pretty* **kecil** *small* **usang** *ugly*	**di pinggir bandar** *on the outskirts* **di pantai** *on the coast*
		sebuah pangsapuri *a flat*	**dalam bangunan lama** *in an old building* **dalam bangunan moden** *in a modern building*	**di tengah bandar** *in the centre*
	saya berasal dari *I am from*	Kuala Lumpur	**ibu negara Malaysia** *capital city of Malaysia*	
		Putrajaya	**ibu negara Malaysia** *capital city of Malaysia*	
		Labuan	**ibu negara Malaysia** *capital city of Malaysia*	
		Jakarta	**ibu negara Indonesia** *the capital city of Indonesia*	
		Canberra	**ibu negara Australia** *capital of Australia*	
		Singapura	**negara yang terletak di antara Malaysia dan Indonesia** *a country located between Malaysia and Indonesia*	

Author's note: *We have already seen verbs such as* **di tengah bandar** *(in the centre) and* **di pinggir bandar** *(on the outskirts). However, when using* **'Di'** *before nouns or noun phrases to indicate place or direction* **we need to add a space**. *Examples: di rumah (in a house), di sebuah rumah (at a house) or di pantai (at the beach).*

Unit 4. Saying where I live and am from: VOCABULARY BUILDING

1. Complete with the missing word

a. Saya tinggal __ rumah yang cantik — *I live in a pretty house*

b. Saya suka rumah _____ — *I like my flat*

c. Saya berasal ____ Melaka — *I am from Melaka*

d. Saya tinggal di pangsapuri _____ — *I live in a small flat*

e. Sebuah pangsapuri di _____ lama — *A flat in an old building*

f. Saya _____ Singapura — *I'm from Singapura...*

g. Saya tinggal di rumah yang _____ — *I live in an ugly house*

h Saya tinggal di kawasan _____ — *I live on the outskirts*

2. Match up

indah	big
lama	small
kecil	old
besar	pretty
pusat	the centre
bangunan	the coast
pantai	come from
pinggir bandar	the outskirts
buruk	I live in
saya tinggal di	ugly
berasal dari	building

3. Translate into English

a. Saya dari Pulau Pinang

b. Saya tinggal di rumah

c. Pangsapuri saya kecil

d. Saya dari Kuantan, Pahang

e. Ini bangunan moden

f. Saya dari Jakarta, ibu negara Indonesia

g. Saya tinggal di pangsapuri di tepi pantai

h. Saya berasal dari Melaka, Malaysia

4. Add the missing letters

a. Perli_   c. Pulau _inang   e. Ke_ah   g. Per_k   i. Pah_ng

b. _uala Lumpur   d. Joho_   f. Mel_ka   h. Kelan_an   j. Terenggan_

5. Broken words

a. S_____ d_____ K_____, di P_____ *I am from Kuantan, in Pahang*

b. S_____ t_____ di r_____ l_____ *I live in an old house*

c. S___ b___ d___ K___ L___, i___ n___ M___ *I am from Kuala Lumpur, the capital of Malaysia*

d. S___ t___ di s___ p___di p___ *I live in a flat on the coast of Pulau Pinang*

e. S___ t___ di r___ y___ k___ t___ c___ *I live in a small but pretty house*

f. S___ d___ M___ dan t___ di b___ l___ *I'm from Melaka and I live in an old building*

g. S___ d___ S___ *I am from Singapore*

6. Complete with a suitable word

a. Saya ____ dari Melaka

b. Saya tinggal ____ pangsapuri yang cantik

c. Dalam _____ lama

d. Saya tinggal di sebuah rumah di _____ pantai

e. Saya tinggal di dalam sebuah rumah _____

f. Saya berasal dari _____

g. Saya tinggal di pangsapuri _____

h. Saya dari Sabah, di _____

i. Georgetown ialah ibu kota _____

j. Saya tinggal di sebuah rumah di _____

Unit 4. "Geography test": Using your own knowledge (and a bit of help from Google/your teacher) match the numbers to the cities and countries

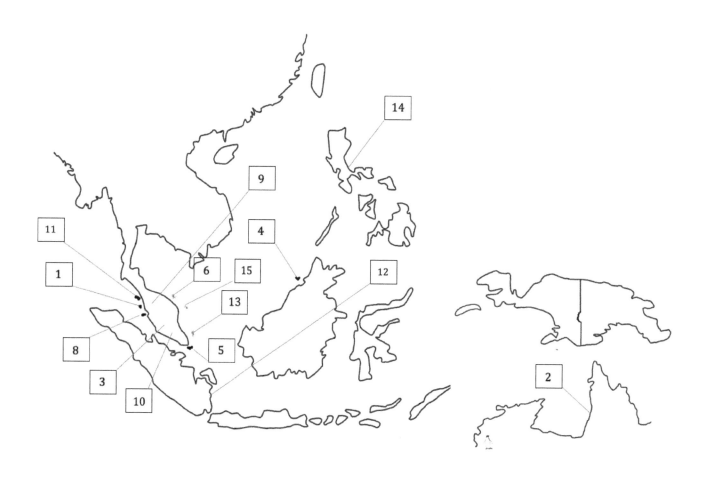

Malaysia			
Num	**CITIES**		
	Kuala Lumpur		
	Putrajaya		
	Labuan		
Num	**ISLANDS**	**Num**	
	Pulau Langkawi		Pulau Redang
	Pulau Pinang		Pulau Pangkor
	Pulau Tioman		Pulau Kapas

Countries in South East Asia	
Num	**Country**
	Indonesia
	Malaysia
	Singapura
	Australia
	Jepun

Unit 4. Saying where I live and am from: READING

Nama saya Kamal. Saya berumur dua puluh dua tahun dan hari lahir saya pada 9 Ogos. Saya tinggal di Ipoh, Perak. Saya tinggal di rumah yang cantik di ibu kota. Saya ada dua adik lelaki, Edi dan Rofi. Saya sangat suka pada Edi tetapi Rofi sangat nakal. Kawan saya Ali tinggal di Taiping, di utara Perak. Dia tinggal di pangsapuri lama yang terletak di ibu kota.

Nama saya Natasha. Saya berumur dua puluh satu tahun dan saya tinggal di Labuan, Sabah bersama rakan baik saya, Marina. Kami tinggal di pangsapuri yang besar, cantik dan moden di pinggir bandar. Hari lahir saya pada 2 Jun dan hari lahir Marina pada 12 Julai. Di rumah, saya mempunyai seekor anjing bernama Banny. Ia sangat besar dan cantik. Hari lahirnya pada bulan April. Banny berumur tiga tahun. Saya juga mempunyai labah-labah, yang cantik dan dipanggil Liman. Hari lahir labah-labah saya juga pada bulan April. Jadi saya mengadakan sambutan untuk kedua-dua haiwan peliharaan pada masa yang sama. Ia sangat menakjubkan!

Nama saya Ramona. Saya berumur lima belas tahun dan saya tinggal di Georgetown, ibu negeri Pulau Pinang. Dalam keluarga saya, kami terdiri daripada empat orang iaitu ibu, bapa, abang dan saya. Hari lahir saya pada 11 September sama dengan Razifa. Kami saudara kembar!

Nama saya Aminah. Saya berumur sembilan tahun dan saya tinggal di Tanjung Tokong, di Pulau Pinang. Saya tinggal di rumah saya bersama keluarga saya: ibu bapa saya, kakak saya, Shakira dan saya. Hari lahir saya pada 9 Mei dan Shakira pada 30 Mac. Dia berumur sebelas tahun. Rumah saya besar, cantik dan terletak di pantai. Saya sangat suka!

1. Find the Malay for the following in Natasha's text

a. My name is

b. I am 21 years old

c. I live in…

d. A big flat

e. On the outskirts

f. The 2nd of June

g. I have a dog

h. He is very big

i. His birthday is on the 1st of April

j. He is 3 years old

k. I also have a spider

2. Complete the statements below based on Kamal' text

a. I am _____ years old

b. My birthday is the ____of _____

c. I live in a _____ house

d. My house is in the _____ of town

e. I like Edi but Rofi is _____

f. My friend Ali _____ in Perak

g. He lives in an old _____

3. Answer the questions on the four texts above

a. How old is Ramona?

b. Why do Ramona and Razifa have the same birthday?

c. Who only likes one of his siblings?

d. Who has two pets that share a birthday?

e. Why is it convenient that they share a birthday?

f. Who has a friend that lives in a different city?

g. Who lives with their really good friend?

h. Who does not live in Penang?

i. Whose birthday is on the twelfth of July?

4. Correct any incorrect statements about Aminah's text

a. Aminah berumur sepuluh tahun

b. Aminah tinggal di Tanjung Tokong, di pantai Pulau Pinang.

c. Aminah tinggal di rumah saya bersama keluarganya.

d. Hari lahir Aminah pada 9 Mei dan hari lahir Shakira pada 30 Mac.

e. Shakira berumur sepuluh tahun.

 THE LANGUAGE GYM

Unit 4. Saying where I live and am from: TRANSLATION/WRITING

1. Translate into English

a. saya tinggal di

b. rumah

c. pangsapuri

d. cantik

e. besar

f. dalam bangunan

g. lama

h. moden

i. di pusat bandar

j. di luar bandar

k. di pinggir pantai

l. saya berasal dari

m. di Pulau Pinang

n. di Singapura

2. Gapped sentences

a. Saya tinggal di rumah yang _____   *I live in an ugly house*

b. Se____ pangsapuri di bangunan baru *A flat in a new building*

c. Saya tinggal di rumah _____   *I live in a small flat*

d. Sebuah rumah di _____   *A house on the outskirts*

e. Saya _____dari Melaka   *I am from Melaka*

f. Ibu _____ Malaysia   *The capital of Malaysia*

3. Complete the sentences with a suitable word

a. Saya tinggal di _____ , ibu negara Malaysia

b. Saya berasal dari Georgetown, di _____

c. Saya tinggal di _____ yang sangat besar

d. Saya tinggal di rumah yang cantik dan _____

e. Saya_____ di Ampang, _____ di ibu kota Kuala Lumpur

f. Saya tinggal di _____ moden di tengah bandar

4. Phrase-level translation to Malay

a. I live in...

b. I am from...

c. a house...

d. a flat...

e. ugly...

f. small...

g. in an old building...

h. in the centre...

i. on the outskirts...

j. on the coast...

k. in Sungai Petani...

5. Sentence-level translation English to Malay

a. I am from Putrajaya, Malaysia. A country in Asia. I live in a big and pretty house on the outskirts.

b. I am from Kuala Lumpur in Malaysia. I live in a small and ugly flat in the centre.

c. I am from Labuan in Sabah. I live in a flat in a new building on the coast. My flat is big but ugly.

d. I am from Jakarta, Indonesia. I live in a flat in an old building on the outskirts. I like my flat.

Unit 4. Saying where I live and am from: WRITING

1. Complete with the missing letters

a. N_m_ saya i_l_h Pahmi

b. Saya t_ _ _gal d_ Putrajaya, Malaysia

c. Rumah saya sangat b_ _ar dan ca_ _ _ _

d. Saya suka r_ _ _ _ _ saya

e. R_ _ _ _ saya terletak di p_ _ _ bandar

f. Saya suka kawasan t_ _ _ _ di rumah sa_ _

g. Ruang t_ _ _ rumah saya sangat b_ _ _ _ _

h. Saya makan di r_ _ _ _ m_ _ _ _ _

2. Spot and correct the spelling mistakes

a. Sayo berasal dari Georgetown, di Pulau Pinang

b. Saya tinggal di Kuala Lumpur ibu kota Malaysia

c. Saya tinggal di sebuah rumah lama dan usang

d. Saya tinggal di sebuah pangsapui besar

e. Saya tinggal di pangsapuri moden

f. Saya tinggal di Pulau Langkaei

g. Saya berasal dari Kuala Lumpur di Malaysia

h. Saya berasal dari Bangkok di Negara Thailand

3. Answer the questions in Malay

a. Siapa nama anda?

b. Berapakah umur anda?

c. Bilakah hari lahir anda?

d. Anda berasal dari mana?

e. Di mana anda tinggal?

f. Adakah anda tinggal di rumah pangsapuri atau di kondominium?

4. Anagrams (islands of Malaysia and neighbouring countries)

a. ualuP gnaniP

b. Tilandha

c. mnKiaanalt

d. wauleSsi

e. laBi

f. aretamuS

g. gniauSpra

h. ianurB

i. ualuP iwakgnaL

j. yaliaasM

5. Guided writing – write 4 short paragraphs in the 1st person singular 'I' describing the people below

Name	Age	Birthday	City	Country or region
Farah	12	20.06	Sungai Petani	Kedah
Meiko	14	14.10	Tokyo	Japan
Basariah	11	14.01	Sydney	Australia
Azizah	13	17.01	Kuala Lumpur	Malaysia
Dayah	15	19.10	Labuan	Sabah

6. Describe this person in the third person:

Name: Qaisara Nisa

Age: 16

Birthday: 15 May

Country of origin: Bandar Seri Begawan, Brunei

Country of residence: Putrajaya, Malaysia

UNIT 5
Talking about my family members, saying their age and how well I get along with them. Counting to 100.

Revision quickie – Numbers 1-100/ Dates/ Birthdays

In this unit you will learn to talk about:

- How many people there are in your family and who they are
- If you get along with them
- Words for family members
- What their age is
- Numbers from 31 to 100

You will also revisit

- Numbers from 1 to 31
- Hair and eyes description

UNIT 5
Talking about my family members, saying their age and how well I get along with them. Counting to 100.

Siapa di dalam keluarga anda? *Who is in your family?* **Dalam keluarga anda ada berapa orang?** *In your family there are how many people?* **Ada berapa orang dalam keluarga anda.** *There are how many people in your family?* **Berapa umurnya?** *How old is he/ she? How old are they?*				

Dalam keluarga saya ada *In my family there is...* **Ada empat orang dalam keluarga saya** *There are <u>four</u> people in my family...* **Saya bergaul dengan...** *I get along well with...* **Saya tidak bergaul dengan...** *I don't get along with...* **Saya bertengkar dengan ...** *I quarrel with* **Saya tidak bertengkar dengan ...** *I don't quarrel with*	**abang saya Arif** *my older brother Arif* **adik lelaki saya Sophei** *my little brother Sophei* **adik perempuan saya Wani** *my little sister Wani* **bapa saya Abd Shukor** *my father Abd Shukor* **bapa saudara saya Kamal** *my uncle Kamal* **datuk saya Yahaya** *my grandfather Yahaya* **ibu saya Kamaliah** *my mother Kamaliah* **ibu saudara saya Khatijah** *my aunt Khatijah* **kakak saya Dian** *my older sister Dian* **nenek saya Balkis** *my grandmother Balkis* **sepupu saya Nazri** *my cousin Nazri* **sepupu saya Rahim** *my cousin Rahim*	**Dia berumur** *He/ She is aged* **Umurnya** *He/ She is aged*	satu dua tiga empat lima enam tujuh lapan sembilan sepuluh sebelas *11* dua belas *12* tiga belas *13* empat belas *14* lima belas *15* enam belas *16* tujuh belas *17* lapan belas *18* sembilan belas *19* dua puluh *20* dua puluh satu *21* dua puluh dua *22* tiga puluh *30* tiga puluh satu *31* tiga puluh dua *32* empat puluh *40* lima puluh *50* enam puluh *60* tujuh puluh *70* lapan puluh *80* sembilan puluh *90* seratus *100*	**tahun** *years old*

Author's note: *Remember, he or she is replaced by* **dia,** *and his/ her is* **-nya** *Watch out for it!* *The formal word for father is* **bapa,** *but* **ayah** *is also used as a less formal word (more like Dad).*				

Unit 5. Talking about my family + Counting to 100: VOCAB BUILDING

1. Complete with the missing word

a. Dalam _____ saya ada — *In my family there is...*

b. Terdapat_____ orang — *There are five people*

c. _____ saya, Jamil — *My grandfather, Jamil*

d. Datuk saya berumur _____ tahun — *My grandfather is 80*

e. _____ saya, Amalina — *My mother Amalina*

f. Dia _____ lima puluh tahun — *She is 50 years old*

g. Saya _____ dengan abang saya — *I get on well with my bro*

2. Match up

Enam belas	12
Dua belas	48
Dua puluh satu	13
Sepuluh	16
Tiga puluh tiga	10
Tiga belas	21
Empat puluh lapan	15
Lima puluh dua	5
Lima	33
Lima belas	52

3. Translate into English

a. Dalam keluarga saya ada

b. Ibu saya, Aminah

c. Dia berumur lima puluh tahun

d. Saya berbual

e. Nenek saya, Balkis

f. Saya bergaul dengan

g. Ayah saya

h. Datuk saya

4. Add the missing letter

a. ke_____ga   c. da__uk   e. ta___n   g. i__u   i. ay_h   k. Sepu__u

b. em___k   d. u___ur   f. pu___h   h. ne__ek   j. ka__ak   l. a___ng

5. Broken words

a. Ter___ e___ o____ da___ ke____a s___
There are 6 people in my family

b. Ka___ s___ ber___ 12 ta___
My sister is 12 years old

c. Da____ ke____ s___ a___
In my family I have...

d. Se____ le____ s___ di _____
My male cousin is called

e. A____ s___ ber____ l___ p___ l___ t____
My father is 55 years old

f. S____ ber____ de_____ a_____ s___
I get on badly with my older brother

g. S_____ r_____ de___
I get on well with my...

6. Complete with a suitable word

a. Dalam keluarga _____

b. _____ empat orang

c. Nama datuk saya _____

d. Dia _____ 50 tahun

e. Saya _____ dengan abang

f. Saya tidak _____ dengan kakak

g. Kakak _____ umur 10 tahun

h. Abang _____ umur 12 tahun

i. Saya bergaduh _____abang saya

j. Sepupu lelaki saya di_____

k. Ayah saya _____ 70 tahun

Unit 5. Talking about my family + Counting to 100: VOCABULARY DRILLS

1. Match up

Tujuh	There are
Saya bergaul baik	My cousin
Keluarga	With
Sepupu saya	Family
Ada	I get along well
Dengan	Seven

2. Complete with the missing word

a. _____ lima orang   *There are five people*

b. _____saya, Jamal, berumur enam puluh tahun   *My father, Jamal, is 60*

c. Saya _____ dengan bapa saudara saya   *I get along with my uncle*

d. Saya _____ bergaul dengan...   *I don't get along with ...*

e. Ibu saudara saya, Ana, ___ empat puluh tahun   *My aunt, Ana, is 40*

f. Dia berumur _____ belas tahun   *He is 18*

g. ____ berumur dua puluh enam tahun   *She is 26*

h. _____ saya, Dessy, umurnya lapan puluh   *My gran, Dessy is 80*

3. Translate into English

a. Dia berumur sembilan tahun

b. Dia berumur empat puluh tahun

c. Ayah saya berumur empat puluh empat tahun.

d. Saya tidak bergaul dengan datuk saya

e. Saya bergaul baik dengan abang saya

f. Adik perempuan saya berumur lima tahun.

g. Ada lapan orang dalam keluarga saya

5. Translate into Malay

a. In my family

b. There are

c. My father...

d. is 40 years old

e. I get along well...

f. ...with

4. Complete with the missing letters

a. A _ _ ng lelaki saya   *My older brother*

b. Di kel _ _ rga saya _ d_ tiga orang
In my family there are 3 people

c. Se _ _pu saya la _ _ _ belas tahun
My cousin is 18

d. Saya ti _ _k bergaul d _ _ gan kakak saya
I get along very badly with my brother

e. Ba_ _ saudara saya berumur empat puluh _a_an
My uncle is 40 years old

f. S _ _a bergaul ba_ _ dengan sepupu saya
I get along very well with my cousin

g. _ _ _upu saya ber_ _ ur l_ _a belas tahun
My cousin is 15 years old

h. Saya bergaul baik dengan _ _ _
I get along so so with her

i. Bagaimana A_ _ _ ?   *What are you like?*

6. Spot and correct the errors

a. Di keluarga saya ini tiga orang

b. Nanak saya Anisa

c. Adik lelake saya berumur sembilan tahan

d. Saya berumur dengan buruk sepupu saya

e. Umurnya sepupu saya lepan tahun

f. Abang laki saya Bernama Bakar

 **THE LANGUAGE GYM**

Unit 5. Talking about my family + Counting to 100: TRANSLATION

1. Match up

Dua puluh	30
Tiga puluh	70
Empat puluh	100
Lima puluh	50
Enam puluh	20
Lapan puluh	80
Sembilan puluh	40
Seratus	60
Tujuh puluh	90

2. Write in the missing number

a. Saya berumur _____ tahun   *I am 31*

b. Umur bapa saya _____ tahun   *My dad is 57*

c. Ibu saya berumur _____ tahun   *My mum is 48*

d. Nenek saya berumur_____ tahun   *My grandad is 100*

e. Umur bapa saudara saya_____ tahun   *My uncle is 62*

f. Mereka berumur _____ tahun   *They are 90*

g. Sepupu-sepupu saya berumur_____tahun   *My cousins are 44*

h. Adakah umurnya _____ tahun?   *Is he/she 70?*

3. Write out in Malay

a. 35 tiga puluh lima

b. 63 e

c. 89 l

d. 74 t

e. 98 s

f. 100 s

g. 82 l

h. 24 d

i. 17 t

4. Correct the translation errors

a. *My father is forty* Ayah saya berumur tiga puluh tahun

b. *My mother is fifty-two* Emak saya berumur empat puluh tahun

c. *We are forty-two* Kami berumur dua puluh tahun

d. *I am forty-one* Saya berumur empat puluh dua tahun

e. *They are thirty-four* Mereka berumur tiga belas tahun

5. Translate into Malay (please write out the numbers in letters)

a. In my family there are 6 people:

b. My mother is called Syarifah and is 43:

c. My father is called Tan and is 48:

d. My older sister is called Mei Ling and is 31:

e. My younger sister is called Amira and is 18:

f. I am called Nazari and I am 27:

g. My grandfather is called Lokman and is 87:

Unit 5. Talking about my family + Counting to 100: WRITING

1. Spot and correct the spelling mistakes

a. empat pulah   *empat puluh*

b. tiga puluh sata

c. lopan puluh dua

d. due puluh satu

e. semblan puluh

f. emam

g. tujoh puluh

h. enam puloh

3. Rearrange the sentence below in the correct word order

a. Dalam saya ada empat orang keluarga
In my family there are four people

b. Saya abang saya tidak bergaul dengan
I don't get along with my brother

c. Ayah saya lima puluh dipanggil Malek dan berumur lima puluh dua tahun
My father is called Malek and is fifty-two

d. Dalam orang iaitu ibu saya, ayah saya dan saya keluarga saya ada tiga
In my family there are three people: my mother, my father and I

e. Sepupu dan berumur tiga puluh tujuh tahun saya dipanggil Pahami
My cousin is called Pahami and is thirty-seven

f. saya dipanggil Faizal dan berumur lapan puluh tujuh tahun Datuk
My grandfather is called Faizal and is eighty-seven

2. Complete with the missing letters

a. I_u sa_a b_rum_r em_at p_ _uh t_h_n

b. Um_r ba_ _ s_y_ li_a p_luh s_tu _ _hun

c. D_ _uk _ _ya beru_ur l_ _an p_ _uh tah_ _

d. U_ _r ad_k _ _ya seb_ _as ta_ _n

e. Ne_ _k saya be_ _mur se_ _ilan pul_ _ ta_un

f. Um_ _ ka_ak s_ _a d_a p_ _uh ti_a _a_un

4. Complete

a. In my family: D_____ k____ s____

b. There are: A____

c. Who is called: Di_____

d. My mother: I____ s____

e. My father: B____ s____

f. He is fifty: D___ b____ l___ p____

g. I am sixty: S___ b____ e____ p___ t____

h. He is forty: D___ b____ e____ p____

5. Write a relationship sentence for each person as shown in the example
e.g. Kawan baik saya bernama Saiful dan dia berumur lima belas tahun. Saya sangat baik dengan dia.

Name	Relationship to me	Age	How I get along with them
e.g. Saiful	*Best friend*	*15*	*Very well*
Abd Shukor	Father	57	Well
Kamaliah	Mother	45	Very badly
Noor Azam	Aunt	60	Quite well
Kamal	Uncle	67	Not well
Yahaya	Grandfather	75	Very well

THE LANGUAGE GYM

Revision Quickie 1:
Numbers 1-100, dates and birthdays, hair and eyes, family

1. Match up

11	lima belas
12	dua belas
13	enam belas
14	lapan belas
15	sebelas
16	sembilan belas
17	empat belas
18	dua puluh
19	tujuh belas
20	tiga belas

2. Translate the dates into English

a. Tiga puluh Jun

b. Satu hari bulan Julai

c. Lima belas September

d. Dua puluh dua hari bulan Mac

e. Tiga puluh satu hari bulan Disember

F. Lima hari bulan Januari

g. Enam belas hari bulan April

h. Dua puluh Sembilan hari bulan Februari

3. Complete with the missing words

a. Hari lahir saya _____ lima belas April

b. Umur saya empat belas _____

c. Adik saya _____ rambut _____

d. Anda berasal dari _____ ?

e. Dalam keluarga saya _____ empat orang

f. Ibu_____ ada _____ coklat

g. Saya berasal ____ Kelantan

h. Kakak saya _____ Nurul Syarizah

mana	pada	dari	ada	bernama
perang	mata	tahun	ada	saya

4. Write out the solution in words as shown in the example

a. empat puluh - tiga puluh sepuluh

b. tiga puluh - sepuluh

c. empat puluh + tiga puluh

d. dua puluh x dua

e. lapan puluh – dua puluh

f. sembilan puluh – lima puluh

g. tiga puluh x tiga

h. dua puluh + lima puluh

i. dua puluh + tiga puluh

5. Complete the words

a. Da_ _ _ s_ _ _ _   *My grandfather*

b. sep_ _ _ s_ _ _   *My cousin*

c. M _ _ _   *The eyes*

d. hi _ _ _   *Green*

e. j_ _ _ _ _ _   *Beard*

f. Cermin m_ _ _   *Glasses*

g. K _ _ _ _   *Sister*

h. Saya a_ _   *I have*

6. Translate into English

a. Ibu saya ada rambut coklat

b. Saya ada mata biru

c. Saya berumur empat puluh tahun

d. Datuk saya berumur tujuh puluh tahun

e. Ayah saya memakai cermin mata

F. Abang saya ada misai

g. Abang saya berambut hitam

h. Kakak saya ada mata kelabu

UNIT 6: Describing myself and another family member (physical and personality) (Part 1)

Grammar Time 1: Pronouns
Grammar Time 2: Noun Phrases

In this unit you will learn:

- What your immediate family members are like
- Useful adjectives to describe them
- Pronouns
- The verb 'ada' – to have, possess, own
- Noun/ adjective phrases

You will also revisit
- Numbers from 1 to 31
- Hair and eyes description

UNIT 6 (Part 1/2)
Intro to describing myself and another family member

Bagaimana sifatnya? *What are his/her characteristics?*			
Saya *I (am)* **Bapa saya** *My father is* **Ibu saya** *My mother is* **Adik perempuan saya** *My younger sister is* **Adik lelaki saya** *My younger brother is* **Kakak saya** *My sister is* **Abang saya** *My brother is*	**baik hati** *kind* **baik** *nice* **berotot** *muscular* **cantik** *beautiful* **dermawan** *generous* **degil** *stubborn* **gemuk** *fat* **hodoh** *ugly* **jahat** *bad* **kacak** *handsome* **kejam** *mean* **kelakar** *funny* **kuat** *strong* **kurus** *slim* **membosankan** *boring* **pendek** *short* **tinggi** *tall*	**dan** *and* **dan juga** *and also* **tetapi** *but* **tetapi tidak** *but not*	**aktif** *active* **artistik** *artistic* **bangga** *proud* **cerewet** *fussy* **kreatif** *creative* **malas** *lazy* **malu** *shy* **nakal** *naughty* **pandai** *clever* **peramah** *friendly* **rajin** *diligent* **sabar** *patient*

Unit 6. Vocabulary building

1. Match

Saya baik	I am fun
Saya kejam	I am slim
Saya degil	I am kind
Saya kacak	I am mean
Saya lucu	I am nice
Saya baik hati	I am short
Saya kuat	I am strong
Saya jahat	I am handsome
Saya pendek	I am bad
Saya tinggi	I am tall
Saya kurus	I am stubborn

2. Complete

a. Adik lelaki saya k_____   *My younger brother is slim*

b. Bapa saya tidak r_____   *My father is unfriendly*

c. Kakak perempuan saya d_____ *My older sister is stubborn*

d. Saya b_____   *I am muscular*

e. Kakak saya l_____   *My sister is fun*

f. Kawan saya Harnani k_____   *My friend Harnani is strong*

 **THE LANGUAGE GYM**

3. Categories – sort the adjectives below in the categories provided

a. kuat; b. bijak; c. simpati; d. degil; e. kacak; f. pintar; g. sabar;

h. jahat; i. pemurah; j. bosan; k.besar; l. hodoh; m. kelakar

Fizikal	Personaliti

4. Complete the words

a. Saya membos__ __ __ __ __

b. Saya tidak d__ __ __ __

c. Saya k__ __ __

d. Saya d __ __ __ __

e. Saya jah__ __

f. Saya can__ __ __

g. Saya b__ __ __

h. Saya ge__ __ __

5. Translate into English

a. Kakak perempuan saya pemurah

b. Adik lelaki saya gemuk

c. Abang saya bosan

d. Ibu saya kelakar

e. Saya tidak hodoh

f . Saya sedikit degil

g. Saya sangat kacak

h. Kawan saya Mahad kuat

6. Spot and correct the translation mistakes

a. Saya kuat   *He is strong*

b. Dia kurus   *He is fat*

c. Saya sangat cantik   *I am very ugly*

d. Ibu saya tinggi   *My mother is short*

e. Tikus saya hodoh   *My rat is small*

f. Kakak saya degil   *My sister is three*

g. Ayah saya jahat   *My father is mean*

7. Complete

a. S__ __ __ k __ __ __ __

b. K__ __ __ __ b __ __ __

c. B__ __ __ h __ __ __

d. S__ __ __ c__ __ __ __ __

e. D__ __ d__ __ __ __

f. S__ __ __ t__ __ __ __ __

8. English to Malay translation

a. I am strong and funny

b. My mother is very stubborn

c. My older sister is short and slim

d. My younger brother is clever

e. I am kind and fun

f. My father is tall and not fat

g. Jamal is ugly and mean

h. I am tall and muscular

 THE LANGUAGE GYM

Grammar Time 1: Pronouns - Personal (Part 1)

PERSONAL PRONOUNS		
Saya *I (formal) am* **Aku** *I (informal) am*		
Anda *You (formal) are* **Kamu** *You (informal) are*		**artistik** *artistic*
Dia *He, She is*	**agak** *rather*	**baik hati** *kind* **bercakap banyak** *talkative*
Kami *We (excluding listener) are* **Kita** *We (including listener) are*	**cukup** *quite*	**cerdik** *intelligent* **degil** *stubborn*
Semua orang *You all are* **Anda semua** *All of you (formal) are*	**sangat** *very*	**kreatif** *creative*
Mereka *They are*		**kelakar** *funny*
POSSESSIVE PRONOUNS		**malas** *lazy*
Ibu dan bapa <u>saya</u> <u>*My*</u> *parents are* **Ibu saya** <u>*My (informal)*</u> *mother is* **Saudara <u>saya</u>** <u>*My*</u> *relatives are*	**sedikit** *a little*	**malu** *shy* **nakal** *naughty*
Datuk <u>anda</u> <u>*Your*</u> *father is* **Kawan <u>anda</u>** <u>*Your (informal)*</u> *friend is*	**sungguh** *really*	**pemurah** *generous* **peramah** *friendly*
Adik<u>nya</u> <u>*His/ her*</u> *younger sibling is* **Kakak<u>nya</u>** <u>*His/ her*</u> *older sibling is*	**tidak** *not*	**rajin** *diligent* **sabar** *patient*
Datuk dan nenek <u>kami</u> <u>*Our (excl.)*</u> *grandparents are* **Keluarga <u>kita</u>** <u>*Our (incl.)*</u> *family is*		**tegas** *strict*
Ibu saudara <u>mereka</u> <u>*Their*</u> *aunt is* **Bapa saudara<u>nya</u>** <u>*Their*</u> *uncle is*		

Personal Pronoun Drills

1. Match up

Dia	I am
Kami	You are
Kita	He/She is
Anda	They are
Mereka	We (exc.) are
Saya	We (inc.) are

2. Complete with the missing pronoun

a. _____ sangat bercakap banyak — *I am very talkative*

b. _____ sungguh kelakar — *You are really funny*

c. _____ sangat bijak — *They are very intelligent*

d. _____ berasal dari Johor — *We (exc)come from Johor*

e. _____ berumur tiga belas tahun — *He is 13 years old*

f. _____ tinggal di mana? — *Where do they live?*

g. Bagaimana_____? — *What is she like?*

h. _____ sangat ramah! — *You all are very friendly!*

3. Translate into English

a. Ayah saya sangat baik

b. Ibu saya sangat bercakap banyak

c. Abang saya sangat pemalu

d. Adik perempuan saya tidak berapa tinggi

e. Kawan baik saya sangat gemuk

f. Datuk saya sangat baik

g. Kakak saya sangat tinggi

h. Anda semua sangat kuat!

4. Complete with the missing letters

a. K_ _ i sangat ramah — *We are very friendly*

b. D _ _ sangat degil — *She is quite stubborn*

c. M _ _ _ _ _ tidak sabar — *They are not patient*

d. D _ _ tidak ramah — *He is not friendly*

e. A _ _ _ _ _ cukup artistik — *You are quite artistic*

f. A _ _ _ _ s _ _ _ _ _ sangat bercakap banyak
You all are very talkative

g. S _ _ _ sedikit pemalu — *I am a bit shy*

h. M _ _ _ _ _ _ sangat baik hati dan pemurah
They are very kind and generous

i. Adakah a _ _ _ bergaul baik dengan bapa anda?
Do you get along well with your dad?

5. Translate into Malay

a. You are funny.

b. He is intelligent

c. You all are really creative

d. They are quite friendly

e. We are not talkative

f. She is very shy

6. Spot and correct the errors

a. Dia sangat biak hati

b. Anda dan sabar pemurah

c. Meraka sedikit malu

d. Agak saya cerewet

e. Apakah sungguh dia rajin?

Possessive Pronoun Drills

7. Complete with the missing pronouns

a. Ibu dan bapa __ peramah   *Her parents are friendly*

b. Bapa__ agak tinggi   *His father is rather tall*

c. Anjing__ gemuk   *Her dog is fat*

d. Guru ___ sangat baik
My teachers are very good

e. Kakak perempuan___ cantik
Your sister is pretty

f. Kawan _____tidak malu
Their friends are not shy

g. Adik _____ dan____ sangat rajin
My brother and I are very hard-working

8. Complete with the missing pronouns

a. Ibu _____   *My mother (formal)*

b. Ibu dan bapa _____   *My parents (inf)*

c. Kawan _____   *Your friend (inf)*

d. Sepupu _____   *Your cousins (formal)*

e. Nenek _____   *Our (inc)grandmother*

f. Keluarga _____   *His family*

g. Datuk dan nenek __   *Our (exc) grandparents*

h. Ibu saudara _____   *Their aunt*

i. Saudara _____   *All of your relatives*

9. Complete with the missing pronouns

a. Adakah kawan ____ *(your)* tinggal di Malaysia?

b. Ibu _____ *(my)* degil

c. Bapa _____ *(his)* sangat kuat

d. Kakak _____ *(your)* sungguh kelakar

e. Rumah _____ *(my)*sedikit kecil

f. Ibu dan bapa _____ *(their)* pendek

g. Kakak _____ *(my)* dan _____ *(I)* kuat

h. Sepupu ____ *(his)* Mariz berbangsa Melayu

10. Translate into Malay

a. My mother is tall

b. Your father is short

c. Her brother is not funny

d. My sister is nice

e. Their grandfather is very strict

f. Your grandmother is quite patient

g. My mother is intelligent

11. English to Malay translation. The pronouns are underlined and they are a mix of personal and possessive pronouns, so be careful!

a. My mother and her sister are very tall:

b. She is kind and friendly:

c. Her parents come from Japan:

d. My friend is talkative but I am shy:

e. Your father is very tall:

f. She lives in Singapore and her parents live in Indonesia:

g. They live in a large house but my house is small:

THE LANGUAGE GYM

Grammar Time 2: Noun Phrases
Bagaimana rambut dan matanya? *Describe his/her/their hair and eyes.*

Saya *I*			**coklat** *brown*
Kamu *you (informal)* **Anda** *you (formal)*			**hitam** *black* **merah** *red*
Dia *he, she*			**perang** *blond*
Adik lelaki saya *my younger brother*			
Adik perempuan saya *my younger sister*		**rambut** *hair*	**berombak** *wavy*
Kakak saya *my sister*			**keriting** *curly*
Abang saya *my brother*			**lurus** *straight*
Ibu saya *my mother*			**cukur** *shaved*
Bapa saya *my father*	**ada** *have/ has*		**pendek** *short* **panjang** *long*
Kami *we (excl. listener)*			**biru** *blue*
Kita *we (incl. listener)*			**coklat** *brown*
Bapa saya dan saya *my father and I*		**mata** *eyes*	**hitam** *black*
Ibu saya dan saya *my mother and I*			**hijau** *green*
Anda semua *you all*			**kelabu** *grey(silver)* **putih** *white*
Mereka *they*			
Ibu dan bapa saya *my parents*			**besar** *big*
Saudara-mara saya *my relatives*			**kecil** *small*

Noun phrase drills

1. Translate into English	**2. Spot and correct the mistakes**
a. Kami ada rambut hitam	a. Ibu saya punya rambut pirang
b. Dia ada rambut perang	b. Saudara-saudara saya punya perak rambut
c. Mereka ada rambut sangat panjang	c. Saya punya rambut panjang
d. Kamu ada rambut sangat pendek	d. Dia punya hitam rambut
e. Mereka ada mata hijau	e. Kami punya rambut pendek
f. Dia ada rambut merah	f. Saya ibo bapa punya rambut keliting
g. Kita ada rambut kerinting	

3. Complete with the missing pronoun or noun phrase according to the word in the bracket

a. _____(I) ada rambut perang

b. _____ (She) ada mata biru

c. _____(They) ada rambut merah

d. _____(My father) ada rambut pendek

e. _____ (They)ada rambut hitam

f. _____ (My grandma)ada rambut putih

g. _____ (We excl) ada rambut hitam

h. _____ ada rambut coklat (My cousin)

i. Adakah_____ ada rambut panjang? (You all)

j. _____ (My older sis) ada rambut keriting

k. ____ (My friend Akil) ada mata hijau

l. _____ (My parents) ada rambut pendek

m. _____ (I) ada rambut lurus

n. Adakah ____ (you all) ada mata biru yang sama? dengan_____ (your mother)?

4. Translate into English

a. Ibu saya ada rambut merah

b. Ibu dan bapa saya ada mata coklat

c. Kakak dan saya ada rambut hitam

d. Datuk dan nenek saya ada rambut hitam

e. Ibu dan bapa saya ada rambut merah

f. Saudara-mara saya ada rambut kerinting

g. Adik saya dan saya ada rambut berombak

h. Sepupu saya ada rambut kerinting

i. Kedua adik saya ada rambut lurus

j. Kawan saya dan saya ada mata biru

5. Translate into Malay

a. We have black hair

b. You have long hair

c. You all have blue eyes

d. She has green eyes

e. My father has curly hair

f. My sister has straight hair

g. My uncle has grey hair

h. My grandfather has no hair

i. My father and I have blond hair

j. My uncle Bakti has green eyes

6. Guided writing: write a text in the first person singular (I) including the details below:

-   Say you are 9 years old
-   Say you have a brother and a sister
-   Say your brother is 15
-   Say he has brown, straight, short hair and green eyes
-   Say he is tall and handsome
-   Say she is 12
-   Say she has black, curly, long hair and brown eyes
-   Say your parents are short, have dark hair and brown eyes

7. Write an 80 to 100 words text in which you describe four relatives, or friends. You must include their:

a.   Name
b.   Age
c.   Hair (colour, length and type)
d.   Eye colour
e.   If they wear glasses or not
f.   Their physical description
g.   Their personality description

UNIT 6 (Part 2)
Describing my family and saying why I like/dislike them

Berapa orang dalam keluarga anda? *How many people are in your family?*

Bagaimana keluarga anda. *Describe your family.*

Dalam keluarga saya ada *In my family I have…*	**abang saya, Kumar.** *my older brother, Kumar.*		**baik hati** *kind*
	adik lelaki, Sophei *my younger brother Sophei*		**buruk** *bad*
	adik perempuan, Wani *my younger sister, Wani*	**Saya suka ____ kerana dia…** *I like my ____ because he/ she is…*	**bermurah hati** *generous*
	bapa saya, Abd Shukor *my father, Abd Shukor*		**cerdas** *intelligent*
Ada empat orang dalam keluarga saya *There are four people in my family…*			**cantik** *beautiful*
	bapa saudara saya, Kamal *my uncle, Kamal*		**degil** *stubborn*
		_____ saya agak … *My _____ is quite…*	**gemuk** *fat*
	datuk saya, Yahaya *my grandfather Yahaya*		**kacak** *handsome*
			kejam *mean*
	ibu saya, Kamaliah. *my mother, Kamaliah.*	**_____ saya sangat …** *My _____ is very…*	**kelakar** *funny*
Saya bergaul baik dengan… *I get along well with…*			**kurus** *slim*
			kuat *strong*
	ibu saudara saya, Azam *my aunt, Azam*	**_____ saya juga sedikit…** *My _____ is also a little …*	**mengganggu** *annoying*
	kakak saya, Aniza *my older sister, Aniza*		**pandai** *clever*
Saya tidak bergaul dengan… *I get don't get along with…*			**pendek** *short*
	nenek saya, Balkis *my grandmother, Balkis*		**tinggi** *tall*
	sepupu saya, Izzati *my cousin, Izzati*		

Unit 6. Part 2 Describing my family: VOCABULARY BUILDING

1. Complete with the missing word

a. Dalam keluarga saya_____   *In my family there are...*

b. Ada_____ orang   *There are four people...*

c. _____ saya, Lia   *My mother, Lia*

d. Saya _____ dengan   *I get along well with*

e. Saya tidak _____ dengan   *I don't get along with*

f. Bapa saudara saya ___ tinggi   *My uncle is very tall*

g. _____ saya sangat baik hati   *My aunt is very kind*

h. Sepupu saya Clara_____   *My cousin Clara is funny*

2. Match up

Ibu saudara saya	My cousin
Datuk saya	My granddad
Ibu saya	My mum
Bapa saya	My dad
Abang saya	My aunt
Sepupu saya	My little bro
Kakak saya	My big bro
Bapa saudara saya	My uncle
Adik perempuan saya	My big sis
Kakak saya	My little sis

3. Translate into English

a. Saya suka datuk saya

b. Sepupu saya pemurah

c. Saya ada rambut perang

d. Saya bergaul baik dengan...

e. Saya tidak suka...

f. Saya tidak bergaul dengan...

g. Dia degil

h. Dia cerewet

4. Add the missing letter

a. D __ gil   c. Baik _ati   e. _epupu   g. Ka_ak   i. Jug_   k. Saya su_a

b. Saya ber_aul   d. _bang   f. _dik   h. I_u   j. _aya   l. Ka_u

5. Broken words

a. D__ kel_____ s_____ a_____...

In my family there are...

b. E_____ o_____

Four people

c. I__ s_____ s_____ b ____ h_____

My mother is very kind

d. S_____ b_____ b_____ d_____...

I get on well with...

e. B_____ s_____ s_____ p_____

My uncle is very generous

f. S_____ t_____ b_____ d_____...

I get on badly with...

g. A____ p_____ s_____ a_____ r_____ p_____

My younger sister has long hair

h. B_____ s_____ s_____ p_____

My father is very clever

6. Complete with a suitable word

a. Ada empat _____

b. _____ baik hati

c. Saya _____ baik

d. Sangat _____

e. Saya ada _____ perang

f. ____ suka ibu saya

g. Saya bergaul _____ dengan ibu saudara

h. Saya ada rambut hitam dan_____

i. Saya ada _____ biru

j. Sepupu saya _____ kelakar

k. _____ saya sangat pandai

l. Nenek berumur lapan puluh _____

Unit 6. Part 2 Describing my family: READING

Saya Cheryl. Saya berumur sepuluh tahun dan saya tinggal di Kuala Lumpur, ibu negara Malaysia. Dalam keluarga saya ada lima orang, bapa saya Johar, ibu saya Amina dan dua abang saya, Danial dan Paizal. Saya bergaul sangat baik dengan Danial kerana dia baik dan pemurah. Walau bagaimanapun, saya tidak bergaul dengan Paizal kerana dia sangat sombong.

Nama saya Alina. Saya berumur empat belas tahun dan saya tinggal di Johor, Selatan Malaysia. Saya sangat suka datuk saya kerana dia sangat kelakar. Dia bijak tetapi sangat pemalu. Ayah saya sangat gemuk dan degil. Dia ada mata coklat dan rambut pendek.

Nama saya Mat. Saya berumur lima belas tahun dan saya tinggal di Perth, di barat Australia. Saya ada rambut perang dan pendek. Dalam keluarga saya ada enam orang. Saya tidak bergaul dengan adik saya kerana dia malas dan degil. Saya bergaul dengan sepupu saya kerana mereka sangat baik. Sepupu kesukaan saya bernama Lan dan dia tinggi, besar dan kuat. Dia sangat kelakar dan baik. Dia ada rambut hitam pendek dan memakai kaca mata.

Saya Iskandar. Saya berumur sepuluh tahun dan saya tinggal di Kuala Lumpur, ibu kota Malaysia. Saya sangat kacak. Dalam keluarga saya ada ramai orang, jumlahnya lapan orang. Saya suka bapa saudara saya tetapi saya tidak suka ibu saudara saya. Saya bergaul dengan baik dengan bapa saudara saya Yusuf keraba dia menyenangkan dan peramah. Namun, ibu saudara saya tidak ramah dan menakutkan. Ibu saudara saya ada rambut perang kerinting panjang dan mata hijau seperti saya. Hari lahirnya pada lima Mei.

Nama saya Zay. Saya berusia sembilan tahun dan saya tinggal di Kuala Nerang, di Kedah. Dalam keluarga saya, ada empat orang. Saya tidak bergaul dengan bapa saya kerana dia sangat garang dan tidak ramah. Saya sangat suka nenek saya kerana dia sangat baik.

1. Find the Malay for the following items in Alina's text

a. I am called:

b. in the south:

c. my grandfather:

d. but:

e. very:

f. my father:

g. brown eyes:

h. short hair:

2. Answer the following questions about Iskandar

a. How old is he?

b. Where is he from?

c. How many people are there in his family?

d. Who does he get along well with?

e. Why does he like Yusuf?

f. Who does he not like?

g. When is her birthday?

3. Complete with the missing words

Nama saya Shahrul. _____ saya sepuluh tahun dan saya tinggal ___ Putrajaya. Dalam keluarga saya ada empat _____. Saya _____ baik dengan datuk saya kerana ___ sangat baik hati dan lucu. Bapa saya ada _____ pendek dan mata _____ coklat.

4. Find Someone Who...

a. ...has a granny who is very good

b. ...is fifteen years old

c. ...celebrates their birthday on 5th May

d. ...has a favourite cousin

e. ...is from the south of Malaysia

f. ...only gets along well with one of his brothers

g. ...has very short hair

h. ...is a bit arrogant

i. ...has green eyes

THE LANGUAGE GYM

Unit 6. Part 2 Describing my family: TRANSLATION

1. Faulty translation: spot and correct any translation mistakes (in the English)

a. Dalam keluarga saya ada empat orang: *In my family I have fourteen people*

b. Ibu saya Iva dan adik saya Dian: *My mother Iva and my cousin Dian*

c. Saya tidak bergaul baik dengan bapa saya: *I get on very well with my father*

d. Bapa saudara saya bernama Agus: *My father is called Agus*

e. Irfan sangat baik dan menyenangkan: *Irfan is very mean and fun*

f. Ahmad ada rambut pendek : *Ahmad has long hair*

3. Phrase-level translation

a. He is nice

b. She is generous

c. I get along well with...

d. I get along badly with...

e. My uncle is fun

f. My little brother

g. I like my cousin Maya

h. She has short and black hair

i. He has blue eyes

j. I don't like my granddad

k. He is very stubborn

2. From Malay to English

a. Saya suka datuk saya

b. Nenek saya sangat baik

c. Sepupu saya ada rambut pendek

d. Saya bergaul baik dengan abang saya

e. Saya tidak bergaul baik dengan sepupu saya

f. Saya suka datuk saya kerana dia pemurah

g. Bapa saya baik hati dan kelakar

h. Saya tidak suka adik saya

i. Saya bertengkar dengan sepupu saya kerana dia nakal

4. Sentence-level translation

a. My name is Ahmad. I am nine years old. In my family I have four people.

b. My name is Katty. I have blue eyes. I get along well with my brother.

c. I get along badly with my brother because he is stubborn.

d. My name is Fahmi. I live in Putrajaya. I do not like my uncle Daud because he is mean.

e. I like my cousin a lot because she is very good.

f. In my family I have five people. I like my father but I do not like my mother.

Unit 6. Describing my family: WRITING

1. Split sentences

Bapa saya	hitam
Ibu	baik dengan
Saya ada rambut	saya
Saya ada	saya baik hati
Saya tidak suka bapa saudara	mata hitam
Saya sangat suka	pemurah
Saya bergaul	ibu saudara saya

2. Rewrite the sentences in the correct order

a. orang keluarga dalam ada saya enam

b. baik saya kakak dengan saya bergaul

c. suka tidak saya saya bapa saudara

d. biru saya ada ibu mata

e. baik saya pemurah ibu saudara dan hati

f. hitam dia mata ada

3. Spot and correct the grammar and spelling errors

a. Dalam keluargo saya ada

b. Sayo bergaul baik dengan…

c. Saya suka tidak kakak saya

d. Adik saya luco

e. Saya tidak bergaul dengan…

f. Ayoh saya pemurah

g. Dia ada mata biruu

h. Adikk saya sangat nakal

i. Dia cantiq

j. Saya sangat sukaa nenek saya

4. Anagrams

a. agraulek

b. bkai hati

c. pehmura

d. ijakb

e. cntika

f. acakk

g. nraji

h. baulerg

5. Guided writing – write 3 short paragraphs describing the people below in the first person:

Name	Age	Family	Likes	Likes	Dislikes
Haniza	12	4 people	Mother because very nice. Has long blond hair.	Older brother because fun and very good.	Cousin Gemma because very mean and bad.
Ashraf	11	5 people	Father because very fun. Has short black hair.	Grandmother because very nice and generous.	Uncle Kamil because stubborn and ugly.
Kumar	10	3 people	Grandfather because very funny. Has very short hair.	Younger sister because very good and relaxed.	Aunt Aniza because very strong but stubborn.

6. Describe this person in the third person:

Name: Uncle Kamal
Hair: Blond, short
Eyes: Blue
Opinion: Like a lot
Physical: Tall and strong
Personality: Nice, fun, generous.

THE LANGUAGE GYM

UNIT 7
Talking about pets

Grammar Time 3: To Have – Ada, Punya (Mempunyai) & Memiliki
Pets and descriptions

Question Skills: Age/ Descriptions/ Pets

In this unit will learn how to say in Malay

- What pets you have at home
- What pet you would like to have
- What their name is
- Some more adjectives to describe appearance and personality
- Key question words

You will also learn how to ask questions about
- Name/ age/ appearance/ quantity

You will revisit the following
- Introducing oneself
- Family members
- Describing people
- The verbs 'Ada', 'Punya (Mempunyai)' and 'Memiliki' (to have)

UNIT 7
Talking about pets

Adakah anda ada/mempunyai binatang peliharaan?	*Do you have any pets?*
Adakah anda memiliki seekor anjing?	*Do you have a dog?*
Adakah anda ada tiga arnab putih?	*Do you have three white rabbits?*

		yang dipanggil Tabby *that is called Tabby*
	binatang peliharaan *pet*	
	seekor arnab *a rabbit*	**besar** *big*
	seekor anjing *a dog*	**kecil** *small*
	seekor ayam *a chicken*	
Di rumah saya ada *At home I have*	**seekor burung** *a bird*	**biru** *blue*
	seekor burung nuri *a parrot*	**hijau** *green*
Saya membela *I look after*	**seekor cicak** *a lizard*	**hitam** *black*
	seekor hamster *a hamster*	**jingga** *orange*
	seekor ikan *a fish*	**kuning** *yellow*
	seekor itik *a duck*	**merah** *red*
Saya tidak ada *I don't have*	**seekor kucing** *a cat*	**putih** *white*
	seekor kucing *a cat*	
	seekor kuda *a horse*	**bosan** *boring*
	seekor kura-kura *a turtle*	**cantik** *pretty*
	seekor labah-labah *a spider*	**comel** *cute*
Kawan saya Pahmi ada... *My friend Pahmi has...*	**seekor penguin** *a penguin*	**hodoh** *ugly*
	seekor tikus belanda *a guinea pig*	**kelakar** *funny*
	seekor tikus *a mouse*	**keseronokan** *fun*
	seekor ular *a snake*	**meriah** *lively*
		penyayang *affectionate*

Saya ingin mempunyai *I want to have*	**seekor kucing** *a cat*
Saya tidak mahu ada *I wouldn't want to have*	**seekor kura-kura** *a tortoise*

Unit 7. Talking about pets: VOCABULARY BUILDING

1. Complete with the missing word

a. Di rumah saya ada seekor b_____   *At home I have a bird*

b. Saya tidak ada a_____   *I don't have a rabbit*

c. Saya mahu ada seekor a_____   *I'd like to have a dog*

d. Saya mahu ada seekor k____   *I'd like to have a tortoise*

e. Di r_____ saya ada seekor k_____   *At home I have a cat*

f. Saya tidak ada u_____   *I don't have a snake*

g. Saya ada l_____ di rumah   *I have a spider at home*

h. Saya m_____ ada seekor hamster   *I'd like to have a hamster*

2. Match up

seekor kucing	a rat
seekor anjing	a hamster
seekor kuda	two fish
seekor burung	a cat
seekor ikan	a tortoise
seekor kura-kura	a fish
seekor hamster	a rabbit
burung kakak tua	a dog
dua ekor ikan	a parrot
seekor tikus	a bird
seekor arnab	a horse
	a mouse

3. Translate into English

a. Saya ada seekor anjing

b. Kawan saya Lina ada seekor tikus

c. Saya ada dua ekor ikan

d. Saya tidak ada haiwan peliharaan di rumah

e. Saya ada tiga ekor anjing

f. Saya mahu membela arnab

g. Abang saya ada seekor penyu

h. Kucing saya berumur lima tahun

4. Add the missing letter

a. S__ya ada

b. Saya m__hu

c. Di r__mah

d. Ha__wan

e. Pelih__raan

f. Seek__r

g. Ber__mur

h. T__hun

5. Anagrams

a. kcingu

b. nabar

c. anik

d. kua-kurar

e. pnyue

f. urubng

g. onymet

h. ambikng

6. Broken words

a. D_ r_____ s_____ a_____ s_____ a_____

At home I have a dog

b. K_____ s_____ F_____ a____ s___ b___ n____

My friend Farid has a parrot

c. A____ s____ a____ s____ p____

My brother has a turtle

d. S____ t____ a____ a____   *I don't have a rabbit*

e. S____ a____ s____ u____   *I have a snake*

f. Ahmad a____ s____ k____   *Ahmad has a cat*

g. S____ a____ s____ i____ b____   *I have a blue fish*

h. S____ a____ d____ e____ h____   *I have two animals*

7. Complete with a suitable word

a. Saya mempunyai seekor _____

b. Ikan saya sangat _____

c. _____ Fahmi ada burung kakak tua

d. Abang saya _____ seekor kucing

e. Di _____ saya ada dua ekor haiwan

f. _____rumah saya ada dua haiwan peliharaan, seekor anjing dan seekor _____

g. Di rumah saya ada _____ ikan

h. Di rumah saya ada _____ burung

i. Kakak saya _____ seekor kuda

j. _____ saya berwarna putih dan coklat

Unit 7. Talking about pets: READING

Nama saya Alina. Saya berumur lapan tahun dan saya tinggal di Melaka. Ada empat orang dalam keluarga saya: ibu bapa saya dan abang saya, yang namanya Mikael. Mikael sangat mesra. Kami mempunyai dua haiwan peliharaan: seekor anjing bernama Bueno dan seekor kucing bernama Malo. Bueno, dia sangat baik dan mesra seperti abang saya. Malo tidak peramah.

Nama saya Rahmad. Saya berumur sembilan tahun dan saya tinggal di Perlis. Ada empat orang dalam keluarga saya: ibu bapa saya dan abang saya, yang namanya Faijal. Dia berumur dua belas tahun dan dia sangat kelakar. Kami ada dua haiwan peliharaan: burung kakak tua bernama Rico dan seekor kucing bernama Pau. Rico sangat suka bercakap. Pau sangat suka bermain, sama seperti abang saya.

Nama saya Jalil. Saya berumur sembilan tahun dan saya tinggal di Pahang. Ada lima orang dalam keluarga saya: ibu, bapa dan dua abang yang bernama Hanif dan Mahmud. Hanif cerewet dan kelakar. Mahmud sangat serius dan rajin. Kami ada dua binatang peliharaan: seekor arnab bernama Sam dan seekor kura-kura bernama Dexter. Sam sangat ceria dan kelakar. Dexter sangat serius, sama seperti abang saya Mahmud.

Nama saya Selene. Saya sepuluh tahun. Ada empat orang dalam keluarga saya: ibu bapa saya dan dua adik perempuan saya, yang namanya Sabrina dan Luz. Sabrina sangat pemurah dan suka menolong. Luz sangat degil dan membosankan. Kami ada dua haiwan peliharaan: arnab bernama Busy dan itik bernama Loco. Busy sangat tenang dan mesra. Loco sangat bising dan meriah. Macam abang!

1. Find the Malay in Alina's text

a. two pets

b. which is called

c. a cat

d. a dog

e. very affectionate

f. like my brother

g. my parents

h. my name is

i. very unfriendly

j. four people

2. Find Someone Who...

a. ...has a cat

b. ...has a parrot

c. ...has a duck

d. ...has a tortoise

e. ...has a rabbit

f. ...has a dog

3. Answer the following questions about Jalil's text

a. Where does Jalil live?

b. What is his brother Mahmud like?

c. Who is fun and lively?

d. Who is like Mahmud?

e. Who is Hanif?

f. Who is Dexter?

g. Who is Sam?

5. Fill in the blanks

_____ saya Wati. Saya berumur sebelas t_____ dan t_____ di Ipoh. Dalam k_____ saya ada lima orang: ibu, bapa dan dua adik perempuan s____, b____ Poji dan Madi. Poji cerewet dan ramah. Madi malas d___ tidak menyenangkan. Kami m_____ dua binatang peliharaan di rumah: seekor tikus bernama Maya dan seekor kucing bernama Swift. Swift kelakar d____ sibuk. Maya s___ baik, seperti a____ saya Madi.

4. Fill in the table below

Name	Alina	Rahmad
Age		
City		
Pets		
Description of pets		

Unit 7. Talking about pets: TRANSLATION

1. Faulty translation: spot and correct any translation mistakes you find below

a. Dalam keluarga saya ada empat orang dan dua binatang peliharaan. *In my family there are four people and three pets.*

b. Di rumah kami ada dua binatang peliharaan: seekor anjing dan seekor tikus. *At home we have two pets: a dog and a rabbit*

c. Kawan saya Pali mempunyai seekor kura-kura bernama Speedy. Speedy sangat lucu. *My friend Pali has a duck called Speedy. Speedy is very boring.*

d. Abang saya ada kuda yang bernama Zilan. *My sister has a parrot called Zilan*

e. Ibu saya memiliki tikus belanda yang bernama Nicole. *My father has a frog called Nicole*

f. Saya ada seekor kucing bernama Sleepy. Sleepy sangat ceria. *I have a dog called Sleepy. Sleepy is very beautiful*

2. Translate into English

a. Seekor kucing kelakar

b. Seekor anjing penyayang

c. Seekor itik kelakar

d. Seekor penyu bosan

e. Seekor kuda cantik

f. Dua ekor tikus ceria

g. Tiga ekor arnab hitam dan coklat

h. Saya ada dua binatang peliharaan

i. Saya tidak ada bintang peliharaan di rumah

j. Saya ingin membela seekor anjing

k. Saya ingin membela banyak ikan

l. Saya ada seekor hamster tetapi saya juga mahu seekor ular

3. Phrase-level translation En to Malay

a. A boring dog

b. A lively duck

c. At home

d. We have

e. A beautiful horse

f. A naughty cat

g. I have

h. I don't have

i. I would like to have

4. Sentence-level translation En to Malay

a. My brother has a horse who is called Rayo.

b. My sister has an ugly turtle who is called Nicole.

c. I have a fat hamster called Gordito

d. At home we have three pets: a duck, a rabbit and a parrot.

e. I have a rat called Stuart

f. At home we have three pets: a cat, a dog and a hamster

g. I have two fish which are called Nemo and Dory

Unit 7. Talking about pets: WRITING

1. Split sentences

Saya ada anjing	emas
Di rumah kami	peliharaan
Saya ada seekor ikan	bernama Speedy
Saya ada seekor kucing	arnab
Saya suka binatang	ada labah-labah
Adik saya ada seekor	rumah kami
Kami tidak ada binatang peliharaan di	hitam

2. Rewrite the sentences in the correct order

a. ada binatang tiga peliharaan Kami di rumah

b. seekor ingin Saya tikus

c. kucing ada Saya seekor anjing dan seekor

d. hitam Kawan tikus belanda saya Pali seekor ada

e. Fran hijau Kami ada burung bernama

f. dua Kami punya ikan emas ekor

g. saya abang bernama memiliki seekor Nizar burung nuri

3. Spot and correct the grammar and spelling note: in several cases a word is missing

a. Di rumah seekor anjing seekor kucing

b. Saya mempunyai tikus belanda hitam

c. Saya ingin mempunyai seekor ular

d. Adik saya mempunyai kucing putih.

e. Kawan saya Pedro mempunyai dua ekor ikan

f. Kuda saya memanggil saya Graham.

g. Saya mempunyai kuda hitam

h. Kami mempunyai dua haiwan peliharaan di rumah.

4. Anagrams

a. ucinkg

b. anabr

c. wanhai

d. liharaanpe

e. aduk

f. kani

g. sarbe

6. Describe this person in the third person:

Name: Hanizah

Hair: Blond, short

Eyes: Green

Personality: Very nice

Physical: Short, fat

Pets: A dog, a cat and two fish and would like to have a spider

5. Guided writing – write 3 short paragraphs (in 1st person) describing the pets below

Name	Animal	Age	Colour	Character or appearance
Pahmi	Dog	4	White	Affectionate
Lai Bee	Duck	6	Blue	Funny
Malik	Horse	1	Brown	Beautiful

THE LANGUAGE GYM

Grammar Time 3: ADA, PUNYA (MEMPUNYAI), MEMILIKI
Having Pets and Descriptions

1. Translate

a. I have: s _ _ _ a_ _

b. You have: a _ _ _ a_ _

c. She has: d _ _ a _ _

d. We (inc.) have: k _ _ _ a _ _

e. We (exc.) have: k _ _ _ a _ _

f. They have: m _ _ _ _ _ a _ _

2. Translate into English

a. Saya ada seekor kuda sangat cantik. Nama kuda itu Daya.

b. Abang saya ada seekor kucing sangat hodoh.

c. Ibu saya ada seekor anjing lucu.

d. Sepupu saya ada seekor tikus belanda sangat gemuk.

e. Di rumah kami ada seekor itik sangat bising.

f. Kawan saya Ali ada seekor kura-kura sangat besar.

3. Complete

a. *I have a cat*   Saya _____ seekor kucing

b. *It is two years old*   _____ berumur dua tahun

c. *We (exc.) have a turtle. It is 4 years old*   Kami _____ penyu. Penyu itu berumur 4 tahun

d. *My sister has a dog*   Kakak saya _____ seekor anjing

e. *My uncles have two cats*   Pak cik saya _____ dua ekor kucing

f. *They are three years old*   Mereka _____ tiga tahun

g. *My brother and I have a snake*   Saya dan abang saya _____ seekor ular

h. *Do you guys have pets?*   Adakah anda _____ haiwan peliharaan?

i. *What animals do you have?*   Apakah haiwan anda _____?

4. Translate into Malay

a. I have a cat. It is three years old.

b. We don't have pets at home.

c. My dog is three years old. It is very big.

d. I have three brothers. They are very mean.

e. My cousins have a duck and a rabbit.

f. My auntie has blond, curly and long hair. She is very pretty.

g. My brother and I have black hair and green eyes.

Question Skills 1: Age/ Descriptions/ Pets

1. Match question and answer

Berapa umur anda?	Mereka berumur lapan puluh tahun.
Mengapa anda tidak bergaul dengan ibu anda	Khabar baik.
Apakah warna rambut anda?	Hari lahir saya pada 7 Jun
Berapa umur datuk dan nenek anda?	Mata saya biru.
Apakah warna mata anda?	Ya, saya bergaul dengan bapa saya.
Apakah warna kegemaran anda?	Anjing.
Apa khabar?	Tidak, saya tidak ada haiwan peliharaan.
Apakah haiwan peliharaan anda?	Rambut saya warna merah.
Apakah haiwan kegemaran anda?	Umur saya lima belas tahun
Adakah anda ada haiwan peliharaan?	kerana dia sangat serius dan malas.
Bagaimanakah personaliti anda?	Biru.
Apakah ciri-ciri fizikal anda?	Saya ada seekor kucing dan seekor burung nuri.
Adakah anda bergaul dengan bapa anda?	Saya peramah dan cerewet
Bilakah hari lahir anda?	Saya pendek dan gemuk

2. Complete with the missing words

a. Anda ber_____ dari mana?
Where are you from?

b. Apakah per_____ anda?
What are you like in terms of character?

c. Berapakah u_____ bapa anda?
How old is your father?

d. Adakah anda b_____ dengan ibu anda?
Do you get along with your mum?

e. Bilakah hari l_____ anda?
When is your birthday?

f. Bagaimanakah a_____ anda?
How is your dog ?

g. Berapa banyak haiwan pe_____ anda ada? *How many pets do you have?*

3. Translate the following question words into English

a. Yang mana?

b. Bilakah?

c. Di manakah?

d. Bagaimana?

e. Dari mana?

f. Siapakah?

g. Berapa?

h. Apakah?

i. Mengapakah?

5. Translate into Malay

a. What is your name?

b. How old are you?

c. What is your hair like?

d. What is your favourite animal?

e. Do you get along with your father?

f. Why don't you get along with your mother?

g. How many pets do you have?

4. Complete

a. A____ ber_____ d____ mana?

b. A____ per_____ anda?

c. B____ u_____ b____ anda?

d. A____ a____ b_____ d____ i___ anda?

e. B____ h____ l_____ anda?

f. B____ a_____ anda?

g. B___ b___ h___ p_____ a____ ada?

UNIT 8
Saying what jobs people do, why they like/ dislike and where they work

Grammar Time 4: Question Words & BER- verbs (Part 1)
Grammar Time 5: Auxiliary Verbs (Part 2)

In this unit will learn how to say:

- What jobs people do
- Why they like/dislike those jobs
- Where they work
- Adjectives to describe jobs
- Words for useful jobs
- Words for types of buildings
- The verb "Bekerja" (to work)
- Other BER- verbs
- Auxiliary Verbs

You will revisit the following:
- Family members
- Description of people and pets

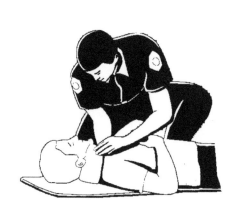

UNIT 8
Saying what jobs people do, why they like/ dislike them and where they work

Dia bekerja sebagai apa? *He/ She works as what?* **Di mana dia bekerja?** *Where does he/ she/ they work?*

				Dia bekerja di... *he/ she works in...*
Bapa saya *My father*				...**bandar** *the city*
Ibu saya *My mother*		**akauntan** *accountant*	**aktif** *active*	...**bengkel** *a workshop*
Adik lelaki saya *My younger brother*		**doktor** *doctor* **doktor gigi** *dentist* **guru** *teacher* **jururawat** *nurse*	**dan dia suka kerana** *he/ she likes it because it is* **mudah** *easy* **memuaskan** *rewarding*	...**hotel** *a hotel* ...**hospital** *a hospital*
Adik perempuan saya *My younger sister*	**bekerja sebagai seorang** *works as a*	**jurutera** *engineer* **mekanik** *mechanic* **pelakon** *actor* **peguam** *lawyer*	**dan dia tidak suka kerana** *he/ she doesn't like it because it is* **menarik** *interesting*	...**kampung** *the countryside* ... **ladang** *a farm*
Abang saya *My older brother*	**ialah seorang** *is a*	**petani** *farmer* **pegawai** *office worker* **pendandan rambut** *hairdresser*	**menyenangkan** *pleasant* **menyeronokkan** *fun*	... **pejabat** *an office* ...**restoran** *a restaurant*
Kakak saya *My older sister*		**suri rumah** *housewife* **tukang masak** *chef*	**dan dia sangat suka kerana** *he/ she loves it because it is* **membosankan** *boring*	...**rumah** *at home* ...**sekolah** *a school*
Bapa saudara saya *My uncle*		**tukang gunting rambut** *barber*	**susah** *difficult*	...**syarikat** *a company*
Ibu saudara saya *My aunt*			**dan dia benci kerana** *he/ she hates it because it is* **tertekan/ membebankan** *stressful*	...**teater** *a theatre*

THE LANGUAGE GYM

Unit 8. Saying what jobs people do: VOCABULARY BUILDING

1. Complete with the missing word

a. Ayah saya seorang _____ *My father is a lawyer*

b. Ibu saudara saya seorang _____ *My aunt is a hairdresser*

c. Adik saya bekerja sebagai _____ *My younger brother works as a mechanic*

d. Ibu saya seorang _____ *My mother is a doctor*

e. Kakak saya bekerja sebagai _____ *My older sister works as an engineer*

f. Ibu saudara saya seorang _____ *My aunt is an accountant*

g. _____ saya seorang _____ *My uncle is a farmer*

2. Match up

membosankan	stressful
aktif	fun
susah	hard
menyenangkan	active
menyeronokkan	rewarding
tertekan	boring
mudah	interesting
memuaskan	easy
menarik	pleasant

3. Translate into English

a. Ibu saya seorang mekanik

b. Dia suka pekerjaan dia

c. Dia bekerja di bengkel

d. Abang saya seorang akauntan

e. Dia tidak suka pekerjaannya

f. Sepupu saya seorang pendandan rambut

g. Dia sangat suka pekerjaan dia

h. kerana menyeronokkan

4. Add the missing letter

a. M__dah

b. Men__rik

c. Teruj__

d. Tert__kan

e. Ser__nok

f. Ganj__ran

g. Akti__

h. Susa__

5. Anagrams

a. Dtorok

b. Jurrutea

c. kaniMek

d. eguPam

e. taniPe

f. aunAktan

g. urGu

h. Jrurawatu

6. Broken words

a. D___ s____ s____ r____ — *She is a house wife*

b. D____ s___ p____ d____ — *He likes his job*

c. A____ s____ s____ p____ — *My bro is a farmer*

d. D____ b____ — *He/she works*

e. D____ k____ — *In the countryside*

f. D___ b___ p___ d___ — *He hates his job*

g. K____ a____ — *Because it is active*

h. S____ m____ — *It is very easy*

7. Complete with a suitable word

a. Ibu saya seorang _____

b. Saya _____ pekerjaan saya

c. Dia suka kerana _____

d. Bekerja di _____

e. _____ saya seorang tukang gunting rambut

f. Saya tidak_____ pekerjaan ini

g. Kerana sangat _____

h. Ibu saudara _____ seorang doktor

i. Dia suka bekerja _____ petani

j. Bapa saudara saya seorang mekanik, dia bekerja di _____

THE LANGUAGE GYM

Unit 8. Saying what jobs people do: READING

Nama saya Arif. Saya berumur dua puluh tahun dan saya tinggal di Bagan Serai, Perak. Ada empat orang dalam keluarga saya. Saya ada seekor anjing sangat kelakar, Davi. Bapa saya bekerja sebagai doktor, di pusat bandar. Dia suka pekerjaannya kerana memuaskan dan menyenangkan. Datuk saya seorang petani dan dia suka pekerjaannya. Kadang-kadang, kerjanya sangat sukar, tetapi dia suka binatang.

Nama saya Sopi. Ada empat orang dalam keluarga saya. Nama bapa saya Matin dan dia seorang peguam. Dia suka pekerjaannya kerana menarik, walaupun tertekan. Ibu saya seorang suri rumah dan dia sangat suka pekerjaannya kerana sangat memuaskan. Saya ada seekor anjing bernama Daniel. Dia sangat besar dan kelakar! Saya tidak suka kucing.

Nama saya Samuel. Saya berasal dari Ampang. Saya suka ibu saya. Dia pemalu tetapi sangat baik. Ibu saya seorang jurutera tetapi sekarang dia tidak bekerja. Saya benci bapa saudara saya, dia kejam dan tidak peramah. Bapa saudara saya seorang arkitek tetapi dia benci pekerjaannya kerana susah dan membosankan. Dia bekerja di sebuah syarikat di Ampang, tetapi dia tidak suka anak-anak dia. Di rumah saya ada seekor kura-kura bernama Speedy. Dia lambat tetapi sangat kelakar, sama seperti kakak saya Cici.

Nama saya Camila. Ada empat orang dalam keluarga saya. Nama ibu saya Valeri dan dia seorang pendandan rambut. Dia suka pekerjaannya kerana menarik dan aktif. Bapa saya tidak bekerja tetapi dia tidak begitu suka tinggal di rumah kerana sangat susah dan agak membosankan. Di rumah saya tidak ada binatang tetapi saya ingin membela seekor kuda. Sepupu saya ada seekor kuda bernama Krispy dan dia sangat besar dan kuat.

1. Find the Malay in Arif's text

a. I am 20

b. I have a dog

c. my dad works as...

d. a doctor

e. in the city

f. he likes his work

g. it is rewarding

h. sometimes

i. he loves his work

2. Answer the questions on ALL texts

a. Who is Krispy?

b. Whose mum is a housewife?

c. Who has an uncle that is in the wrong job?

d. Whose father is a doctor?

e. Who has a tortoise?

f. Who has a dog?

3. Answer the following questions about Samuel

a. Where does Samuel live?

b. Who is his favourite person?

c. What does his mum do? - 2 details

d. Why does he hate his uncle?

e. Why is his uncle a bad father?

f. Who is Speedy?

g. What is Cici like?

5. Fill in the blanks

N_____ saya Mila. Umur saya tiga belas t_____ dan saya t_____ di Maluri. Dalam k_____ saya ada lima orang. Sepupu saya Karman sangat cere____ tetapi baik h___, umurnya tiga p____ tahun. Dia bekerja sebagai s_____ doktor. Dia tinggal di London. Dia suka p_____ kerana menar____ dan memuas___. Bapa saya tidak b_____ sekarang. Di r____ kami ada haiwan p____ bernama Damian, seekor labah-l___; seekor tarantula!

4. Fill in the table below

Name	Mariana	Chong
Age		
City		
Pets/Job		
Opinion of job	....	

Unit 8. Saying what jobs people do: TRANSLATION

1. Faulty translation: spot and correct IN THE ENGLISH any translation mistakes you find below

a. Ayah saya bekerja sebagai pelakon dan dia sangat menyukai pekerjaannya kerana ia menyeronokkan. Dia bekerja di sebuah teater. *My father works as a cook and he really likes his job because it is interesting. He works in a school.*

b. Ibu saudara saya bekerja sebagai ahli perniagaan di sebuah pejabat. Dia suka tetapi ia susah. *My aunt works as a business woman in a hair salon. She hates it but it's hard.*

c. Kawan saya Fran bekerja sebagai jururawat. Dia bekerja di hospital dan suka kerjanya. *My enemy Fran works as a nurse. He lives in a hospital and likes his work.*

d. Bapa saudara saya Gianfranco ialah seorang cef di restoran Itali dan dia menyukainya. *My uncle Gianfranco is a lawyer in an Italian restroom and he likes it.*

e. Ibu saya Angela adalah seorang akauntan dan bekerja di pejabat. Dia benci kerjanya kerana ia membosankan dan berulang-ulang. *My mother Angela is an actress and works in an office. She loves her work because it is boring and repetitive.*

3. Phrase-level translation English to Malay

a. my big brother

b. works as

c. a farmer

d. he likes

e. his job

f. because it's active

g. and fun

h. but it's tough

2. Translate into English

a. Bapa saudara saya bekerja sebagai

b. Ayah saya bekerja sebagai

c. Suri rumah

d. Jururawat

e. Pendandan rambut

f. mekanik

g. Dia suka pekerjaannya

h. Bekerja di bengkel

i. Bekerja dalam teater

j. Bekerja di ladang

k. Mendapat ganjaran

l. Ia susah tetapi menyeronokkan

4. Sentence-level translation En to Malay

a. My brother is a mechanic

b. My father is a business man

c. My uncle is a farmer and hates his job

d. My brother Darren works in a restaurant

e. At home I have a snake called Sally

f. At home I have a fun dog and a mean cat

g. My aunt is a nurse. She likes her job…

h. …because it is rewarding

i. My aunt works in a hospital

THE LANGUAGE GYM

Unit 8. Saying what jobs people do: WRITING

1. Split sentences

Kakak saya ada	memuaskan
Ibu saudara saya adalah	sebagai seorang peguam.
Sepupu saya bekerja	seorang guru.
Dia suka	restoran
Kerana	di pejabat
Bekerja di	pekerjaanya
Bekerja	itik hitam.

2. Rewrite the sentences in the correct order

a. Dia sangat bekerja suka

b. Dia bekerja di akauntan pejabat

c. Dia menjadi rumah suri

d. sebagai petani bekerja Abang saya

e. Abang bekerja di teater saya

f. Datuk saya suka pekerjaannya tidak

g. Kawan saya dia bekerja di hospital seorang doktor dan

3. Spot and correct the grammar and spelling note: in several cases a word is missing

a. Ibu saya seorang rumah

b. Ia adalah kerja membosankan dan susah

c. Kakak saya bekerja sebagai pendundan rambut

d. Dia tidak sukah pekerjaannya kerana sesah dan berulang.

e. Bekerja di hospital bandar

f. Dia sangat menyuka pekerjaannya kerana mudah

g. Kawan saya benci kerjanya

h. Dia suka pekerjaan kerana mendapat ganjaran

4. Anagrams

a. ruGu

b. kangTu sakma

c. torDok

d. guamPe

e. dangLa

f. kelBeng

g. ruham risu

6. Describe this person in Malay in the 3rd person:

Name: Mariah Muda

Hair: Blond + green eyes

Physique: Tall and slim

Personality: Hard-working

Job: Nurse

Opinion: Likes her job a lot

Reason: Stressful but rewarding

5. Guided writing – write 3 short paragraphs describing the people below using the details in the box in 1st person

Person	Relation	Job	Like/ Dislike	Reason
Kumar	My dad	Mechanic	Loves	Active and interesting
Sophei	My brother	Lawyer	Hates	Boring and repetitive
Maliah	My aunt	Farmer	Likes	Tough but fun

Grammar Time 4: The verb BEKERJA

SUBJECT	VERB			NOUN
Saya *I*				
Aku *I (informal)*				**akauntan** *accountant*
Anda *You (formal)*				**ahli perniagaan** *businessman, businesswoman*
kamu *You (informal)*				**doktor** *doctor*
Dia *She, He*				**guru** *teacher*
Bapa saya *My father*				**jurutera** *engineer*
Kakak saya My sister				**jururawat** *nurse*
Abang saya My brother	**bekerja** *works*	**sebagai** *as*	**seorang** *a*	**kerani** *office worker*
Adik lelaki saya *My younger brother*				**mekanik** *mechanic*
Adik perempuan saya *My younger brother*				**pendandan rambut** *hairdresser*
Ibu saya *My mother*				**peguam** *lawyer*
Kami *We (excl)*				**pembantu kedai** *shop assistant*
Kita *We (incl)*				**petani** *farmer*
Anda semua *You all*				**suri rumah** *house- wife*
Mereka *They*				**tukang masak** *chef*
				tukang paip *plumber*

Drills

1. Match up

Dia bekerja	I work
Saya bekerja	You work
Mereka bekerja	S/he works
Kami bekerja	We (inc.) work
Anda bekerja	We (exc.) work
Kita bekerja	They work

2. Translate into English

a. Saya kadang-kadang bekerja

b. Ibu bapa saya bekerja

c. Saya dan abang saya tidak bekerja

d. Dia tidak pernah bekerja

e. Adakah anda bekerja sebagai ahli bomba?

f. Adakah anda bekerja di kedai?

3. Complete with the correct option

a. Adik saya_____ sebagai seorang tukang masak

b Ibu dan bapa saya bekerja _____ guru

c. Saya dan kakak saya tidak_____

d. Kawan saya bekerja sebagai_____ pramugari

e. Datuk dan nenek saya _____ bekerja

f. _____ anda bekerja sebagai polis?

g. Mengapa anda tidak _____?

h. Adakah anda _____ di kedai buku?

bekerja	bekerja	tidak	seorang
Adakah	sebagai	bekerja	bekerja

 **THE LANGUAGE GYM**

4. Cross out the wrong option

SUBJECTS	A	B
My parents	orang saya	Ibu dan bapa saya
He	dia	kami
She	kita	dia
They	kita	mereka
My aunts	ibu saya	Ibu saudara saya
You all	Anda	Anda semua
We (inc)	kami	kita
You	dia	Anda
I	ibu	saya
My friend	kawan saya	saya kawan

5. Complete the sentences using appropriate word

a. Saya bekerja pada setiap _____

b. Ibu bapa saya _____ bekerja

c. Saya dan abang saya _____ sebagai peguam

d. Dia tidak _____ bekerja

e. Adakah anda _____ sebagai ahli bomba?

f. _____ anda bekerja di bengkel?

g. Bapa saya bekerja sebagai seorang _____

h. Dia bekerja di _____ gunting rambut

i. Adakah anda pernah _____?

6. Complete with the correct subject according to the translation

a. _____ bekerja sebagai peguam　　*My parents work as lawyers*

b. _____ bekerja sebagai guru　　*My mother works as a teacher*

c. _____ bekerja sebagai akauntan　　*My parents work as accountants*

d. _____ bekerja sebagai wartawan　　*My father works as a journalist*

e. _____ tidak bekerja　　*My brother doesn't work*

f. _____ juga tidak bekerja　　*My sisters don't work either*

g. _____ bekerja sebagai seorang ahli bomba　　*My uncle works as a fireman*

h. _____ dan _____tidak bekerja　　*My cousins and I don't work*

i. _____ bekerja di restoran　　*I work in a restaurant*

j. _____ bekerja di kedai pakaian　　*My girlfriend works in a clothing store*

k. Di manakah _____ bekerja?　　*Where do you work?*

Verbs like TO WORK

Belajar: to study

Berbahasa: to use the language

Berenang: to swim

Berehat: to have a rest

Berjalan: to walk

Berbelanja: go shopping/buy

Bercuti: to go on holiday

Bermain: to play

7. Complete the sentences using the correct form of the verbs in the grey box on the left

a. Saya _____ di pusat membeli-belah *I go shopping at the mall.*

b. Saya _____ Bahasa Inggeris *I study English*

c. Saya_____ ke pejabat *I walk to the office.*

d. Adakah anda boleh ____ Bahasa Melayu? *Do you speak Malay?*

e. Adakah dia ____setiap hari? *Does she swim every day?*

f. Adakah anda _____ gitar? *Do you guys play the guitar?*

g. Dia _____pada waktu tengahari *He has a rest in the afternoon*

h. Saya ___ dengan keluarga saya *I go on holiday with my family*

 **THE LANGUAGE GYM**

Grammar Time 5: Auxiliary Verbs

Subject	Auxiliary verb	Verb	
Saya *I* ***Aku*** *I (informal)* **Anda** *You (formal)* **Kamu** *You (informal)* **Dia** *She, He* **Bapa saya** *My father* **Kakak saya** *My sister* **Abang saya** *My brother* **Adik lelaki saya** *My younger brother* **Adik perempuan saya** *My younger sister* **Ibu saya** *My mother* **Kami** *We (excl)* **Kita** *We (incl)* **Anda semua** *You all* **Mereka** *They*	*agaknya* *probably, possibly* **akan** *will, is going* **belum** *not yet* **boleh** *can, is able* **boleh** *may, is allowed* **dapat** *can, is able* **ingin** *wish* **mesti** *must* **mahu** *want* **mungkin** *probably, possibly* **sedang** *in the process of (while)* **sudah** *already*	**bekerja** *works* **bercuti** *have a holiday* **berehat** *to have a rest* **berjalan** *walk*	**di pusat membeli-belah** *in the mall* **di pejabat** *in the office* **di pusat bandar** *in the city centre* **di Langkawi** *in Langkawi* **dengan kawan saya** *with my friend* **dengan keluarga saya** *with my family* **pada hujung minggu** *on the weekend* **setiap hari** *every day*
		belajar *to study*	**Geografi** *Geography* **Matematik** *Mathematics* **Muzik** *Music* **Seni** *Art* **Sains** *Science*
		berbahasa *to speak the language*	**Inggeris** **Indonesia** **Jepun** **Melayu**

Drills

1. Match

belum	will
sedang	wish
sudah	want
akan	not yet
ingin	in the process of
mahu	already

2. Complete with the missing auxiliary verb according to the word in the bracket

a. Ibu saya _____ (*is in the process of*) bekerja di bank

b. Saudara saya _____ (*want*) bercuti di pantai

c. Kakak saya _____ (*wish*) bekerja sebagai polis

d. Saya _____ (*have already*) bercutidi Langkawi

e. Anda _____ (*will*) belajar Muzik tahun depan?

f. Adik saya _____ (*is able to*) berjalan kaki

g. Mereka tidak _____ (*allowed*) berehat

h. Dia _____ (*not yet*) berbahasa Melayu?

i. Saya _____ (*possibly*) bercuti hari ini.

j. Saya _____ (*can*) bekerja setiap hari

3. Translate into English

a. sedang belajar

b. akan bercuti

c. belum bekerja

d. ingin belajar

e. sudah berbahasa Jepun

f. akan berehat

g. mahu berjalan kaki

h. mungkin membeli-belah

i. boleh membeli-belah

j. sedang berehat

k. perlu bekerja

4. Translate into Malay (easier)

a. My father wants to have a holiday

b. My parents are already having a rest

c. I will go shopping with my friend

d. My uncle must walk every day

e. My cousins are able to speak Japanese

f. My aunt is (in the process of) speaking English

g. My friend Ann is allowed to go shopping

5. Translate into Malay (harder)

a. My brother is tall and handsome. He is studying Music.

b. My older sister is very intelligent and hard-working. She wants to work as a doctor.

c. My younger brother is very sporty and active. He is allowed to walk to the mall with his friends.

d. My mother is very hard-working. She can speak Japanese.

e. My father is very patient, calm and organized. He is working in the office as an accountant.

THE LANGUAGE GYM

UNIT 9
Comparing Appearance and Personality

Revision Quickie 2: Family/ Pets/ Jobs

In this unit will learn how to say in Malay:

- More/ less ... than
- As ... as
- New adjectives to describe people

You will revisit the following:

- Family members
- Pets
- Describing the appearance and character of animals

UNIT 9
Comparing people

		baik hati *kind*		
		baik *nice*		
Adik saya		bodoh *stupid*		adik saya
My younger sibling		bercakap banyak		anak lelaki saya
Anak lelaki saya *My son*		*talkative*		anak perempuan saya
Anak perempuan saya		bijak *intelligent*		anjing saya
My daughter	**lebih**	bising *noisy*		bapa saya
Anjing saya *My dog*	more	cantik *beautiful*		bapa saudara saya
Bapa saya *My father*		cantik/ kacak *good-*		datuk saya
Bapa saudara saya *My uncle*		*looking*		datuk dan nenek saya
Datuk saya *My grandpa*		gemuk *fat*		dia
Datuk dan nenek		hodoh *ugly*		ibu saya
My grandparents		kuat *strong*		ibu saudara saya
Dia *He, She*		kurus *slim*	**daripada**	ibu dan bapa saya
Ibu dan bapa saya *My*	**kurang**	lemah *weak*	than	itik saya
parents	less	malas *lazy*		kakak saya
Ibu saudara saya *My aunt*		membosankan *boring*		kawan lelaki/ perempuan
Ibu saya *My mother*		menyeronokkan *fun*		saya
Itik saya *My duck*		muda *young*		kawan saya <u>Ana</u>
Kakak saya		pendek *short*		kawan saya
My older sibling		penuh kasih sayang		kawan-kawan saya
Kawan saya <u>Ana</u> *My friend*		*affectionate*		kucing saya
Ana	**sangat**	rajin *hard-working*		kura-kura saya
Kawan saya *My friend*	very	santai *relaxed*		nenek saya
Kawan lelaki/ perempuan		serius *serious*		saya
saya		sporting *sporty*		sepupu saya
My boy/ girlfriend		tidak ramah *unfriendly*		
Kawan-kawan saya		tinggi *tall*		
My friends		tua *old*		
Kucing saya *My cat*				
Kura-kura saya *My tortoise*				
Nenek saya *My grandma*				
Saya *I*				
Sepupu saya *My cousin*				
	se-			
	as...as			

***Author's note:* se-** *is added to the adjective, e.g.* **tinggi** *as tall as OR sama tinggi dengan*

Unit 9. Comparing people : VOCABULARY BUILDING

1. Complete with the missing word

a. Ayah saya lebih tinggi _____ abang saya

My father is taller than my older brother

b. Ibu saya kurang bercakap _____ ibu saudara saya

My mother is less talkative than my aunt

c. Datuk saya lebih pendek _____ ayah saya

My grandfather is shorter than my dad

d Sepupu saya lebih malas _____ kami

My cousins are lazier than us

e. Anjing saya lebih bising _____ kucing saya

My dog is more noisy than my cat

f. Ibu saudara saya kurang cantik _____ ibu saya

My aunt is less pretty than my mother

g. Abang saya lebih rajin _____ saya

My bro is more hard-working than me

h. Ibu bapa saya lebih baik _____ bapa saudara saya

My parents are more kind than my uncles

i. Adik lelaki saya _____ tinggi dengan saya

My younger brother is as tall as me

2. Translate into English

a. sepupu saya

b. lebih

c. bapa saudara saya

d. datuk saya

e. kakak saya

f. kawan baik saya

g. rajin

h. kawan saya

i. tinggi

j. tua

k. degil

l. malas

3. Match Malay and English

kacak/ cantik	strong
tua	stupid
rajin	sporty
baik hati	good-looking
kuat	old
bodoh	hard-working
bersukan	kind

4. Spot and correct any English translation mistakes

a. Dia lebih tinggi daripada saya — *He is taller than you*

b Dia sekacak saya — *He is as funny as me*

c. Dia lebih tenang daripada saya — *She is stronger than me*

d. Saya kurang gemuk daripada dia — *I am more fat than him*

e. Mereka lebih pendek daripada kita — *They are shorter than us*

f. Saya lebih tua darpada dia — *She is as old as him*

g. Dia suka sangat bersukan daripada saya *You are more sporty than me*

5. Complete with a suitable word

a. Ibu saya _____ tinggi _____ saya

b. ____ dan bapa ____ lebih muda daripada bapa saudara saya

c. Ibu bapa saya tinggi _____ datuk dan nenek

d. Abang _____ lebih _____ daripada sepupu saya

e. _____ saya kurang bising _____ itik saya

f. Datuk dan nenek saya lebih _____ ibu bapa saya

g. Kawan perempuan saya lebih cantik _____ adik saya

h. Bapa saudara saya tidak _____ daripada ibu saya

6. Match the opposites

kacak	kecil
rajin	pendek
muda	kuat
tinggi	serius
kelakar	rendah
lemah	tua
panjang	malas
besar	hodoh

THE LANGUAGE GYM

Unit 9. Comparing people : READING

Nama saya Jojo. Saya berumur dua puluh tahun dan saya tinggal di Brunei. Dalam keluarga saya, ada lima orang iaitu ibu bapa saya dan dua abang saya, Felipe dan Aleh. Felipe lebih tinggi, kacak, dan lebih kuat daripada Aleh, tetapi Aleh lebih baik, lebih bijak, dan lebih rajin daripada Felipe. Ibu bapa saya bernama Amir dan Nina. Mereka berdua sangat baik, tetapi ayah saya lebih tegas daripada ibu saya. Selain itu, ibu saya lebih sabar dan kurang degil daripada ayah saya. Saya degil seperti ayah saya! Di rumah kami ada dua haiwan peliharaan: kura-kura dan itik. Mereka berdua sangat baik, tetapi itik saya lebih kuat. Sekuat suara saya...

Nama saya Jamal. Saya berumur lima belas tahun dan saya tinggal di Ipoh. Dalam keluarga saya, ada lima orang: ibu bapa saya dan dua abang saya, Ruzén dan Pedi. Ruzén lebih kurus dan suka bersukan daripada Pedi, tetapi Pedi lebih tinggi dan lebih kuat. Ibu bapa saya bernama Anton dan Carmen. Saya lebih suka ayah saya kerana dia kurang tegas daripada ibu saya. Lagipun ibu saya lebih degil daripada ayah saya. Saya sama degil seperti dia! Di rumah kami ada dua haiwan peliharaan: burung nuri dan tikus belanda. Mereka berdua sangat baik, tetapi burung nuri saya lebih banyak bercakap. Seperti saya sangat banyak bercakap...

Nama saya Vivi. Saya berumur dua puluh tahun dan saya tinggal di Terengganu bersama ibu bapa saya dan dua adik perempuan saya, Marina dan Veny. Marina lebih cantik daripada Veny, tetapi Veny lebih baik. Ibu bapa saya sangat penyayang dan baik, tetapi ayah saya lebih seronok daripada ibu saya. Selain itu, ayah saya lebih kelakar daripada ibu saya. Saya kelakar seperti ayah saya! Di rumah kami ada dua haiwan peliharaan: seekor anjing dan seekor arnab. Mereka berdua sangat gemuk, tetapi anjing saya lebih malas. Malas macam saya...

1. Find the Malay for the following in Jojo's text

a. I live in:

b. My parents:

c. Good-looking:

d. Hard-working:

e. Less stubborn:

f. More patient:

g. But:

h. My duck:

i. Two pets:

j. Very kind:

k. As stubborn as:

2. Complete the statements below based on Vivi's text

a. I am _____ years old

b. Marina is more _____ than Veny

c. Veny is more _____

d. My parents are very _____ and _____

e. I am as _____ as my father

f. We have _____ pets: a _____ and a _____

3. Correct any of the statements below (about Jamal's text) which are incorrect

a. Jamal mempunyai tiga haiwan peliharaan

b. Ruzén kurang gemuk daripada Pedi

c. Ruzén lebih lemah daripada Pedi

d. Jamal bercakap seperti tikus belandanya dan Jamal lebih suka ibunya

e. Jamal lebih degil daripada ibunya

4. Answer the questions on the three texts above

a. Where does Jamal live?

b. Who is stricter, his mother or his father?

c. Who is as talkative as their parrot?

d. Who is as chatty as their duck?

e. Who has a stubborn father?

f. Who has a rabbit?

g. Who has a guinea pig?

h. Which one of Jamal's brothers is sportier?

i. What are the differences between Jojo's brothers?

Unit 9. Comparing people: TRANSLATION/WRITING

1. Translate into English

a. tinggi

b. nipis

c. di bawah

d. gemuk

e. pintar

f. degil

g. bodoh

h. kacak/cantik

i. hodoh

j. lebih daripada

k. kurang daripada

l. kuat

m. lemah

n. seperti…

2. Gapped sentences

a. Ibu s_____ lebih tinggi d_____ ibu s_____ saya

My mother is taller than my aunt

b. Ayah saya l_____ kuat d_____ abang saya

My father is stronger than my older brother

c. Sepupu s_____ kurang _____ daripada kami

My cousins are less sporty than us

d. Abang saya l_____ bodoh d_____ saya

My brother is more stupid than me

e. Ibu saya b_____ seperti ayah saya

My mother is as kind as my father

f. Kakak s_____ lebih rajin d_____ kami

My sister is more hard-working than us

g. Kawan p_____ saya kurang s_____ daripada saya

My girlfriend is less serious than me

h. Datuk saya l_____ degil d_____ nenek saya

My grandfather is more stubborn than my grandmother

3. Phrase-level translation En to Malay

a. My mother is

b. Taller than

c. As slim as

d. Less stubborn than

e. I am shorter than

f. My parents are

g. My cousins are

h. As fat as

i. They are as strong as

j. My grandparents are

k. I am as lazy as

4. Sentence-level translation En to Malay

a. My older sister is taller than my younger sister.

b. My father is as stubborn as my mother.

c. My girlfriend is more hard-working than me.

d. I am less intelligent than my brother.

e. My best friend is stronger and sportier than me.

f. My boyfriend is better-looking than me.

g. My cousins are uglier than us.

h. My duck is noisier than my dog.

i. My cat is more fun than my tortoise.

j. My rabbit is less fat than my guinea pig.

THE LANGUAGE GYM

Revision Quickie 2: Family, Pets and Jobs

1. Match

doktor	doctor
pelayan	waiter
pramugari	journalist
peguam	nurse
anggota	it worker
bomba	worker
wartawan	air
jururawat	hostess
pekerja it	lawyer
pekerja	firefighter

2. Sort the words listed below in the categories in the table

a. pekerja; b. tinggi; c. tukang paip; d. kelakar; e. penyu; f. sepupu;
g. profesor; h. jururawat lelaki; i. bapa saudara; j. bapa ; k. biru; l. gemuk;
m. kacak; n. ahli bomba; o. ibu; p. abang; q. arnab; r. coklat; s. itik; t. kucing

Descriptions	Animals	Jobs	Family

3. Complete with the missing adjectives

a. Ayah saya _____ *fat*

b. Ibu saya _____ *tall*

c. Abang saya _____ *short*

d. Kawan perempuan saya _____ *pretty*

e. Sepupu saya _____ *annoying*

f. Guru Matematik saya _____ *boring*

4. Complete with the missing nouns

a. Ayah saya bekerja sebagai _____ *lawyer*

b. Ibu saya bekerja sebagai _____ *nurse*

c. Kawan baik saya bekerja sebagai____ *journalist*

d. Kakak saya bekerja sebagai _____ *air hostess*

e. Sepupu saya ialah _____ *student*

f. Saya bekerja sebagai _____ *doctor*

g. Martha bekerja sebagai _____ *sales assistant*

h. Nenek saya bekerja sebagai _____ *singer*

5. Match the opposites

tinggi	pemarah
kacak	baik
gemuk	lemah
malas	bodoh
pintar	rajin
kuat	kurus
jahat	hodoh
sabar	rendah

6. Complete the numbers below

a. Empat be_ _ _	14
b. Empat pu_ _ _	40
c. Enam pu_ _ _	60
d. Lima pu_ _ _ _	50
e. Tujuh pu_ _	70
f. Sembilan pu_ _ _	90

7. Complete with the correct verb

a. Ibu saya _____ *My mother is tall*

b. _____ ada rambut warna hitam *I have black hair*

c. Saya _____ sebagai tukang paip *I work as a plumber*

d. Ayah saya _____ 40 tahun *My father is 40*

e. Berapa ramai orang ada dalam _____anda?
How many people are there in your family?

f. Adik-beradik saya _____ *My brothers are tall*

g. Abang saya _____ bekerja *My brother doesn't work*

h. Kawan perempuan saya _____Gabi
My girlfriend is called Gabi

 THE LANGUAGE GYM

UNIT 10
Saying what's in my school bag/ classroom/ describing colour

Grammar Time 6: Using Classifiers (Ekor, Buah, Orang)
Grammar Time 7: Classroom Expressions

In this unit will learn how to say:

- What objects you have in your school bag/ pencil case/ classroom
- Words for classroom equipment
- What you have and don't have
- Grouping with classifiers

You will revisit the following:
- Colours
- How adjectives follow the noun to describe
- Introducing yourself (e.g. name, age, town, country)

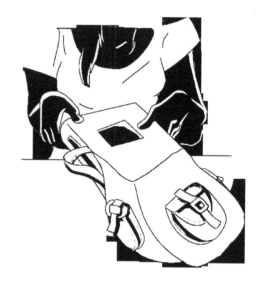

UNIT 10.
Saying what's in my school bag/ classroom/describing colour

Ada apa di dalam beg sekolah anda? *What is in your school bag?* **Ada apa di dalam kelas anda?** *What is in your classroom?*		
Di dalam beg sekolah saya... *In my school bag* **Di dalam kelas saya...** *In my classroom*		
ada *there is*	***sebatang pen** *a pen*	**biru** *blue*
	dua batang pen *two pens*	**biru muda** *light blue*
tidak ada *there isn't*	**banyak pen** *many pens*	
	sebuah buku latihan *an exercise book*	**biru tua** *dark blue*
	sebuah kamus *a dictionary*	
	sebuah kotak pensil *a pencil case*	**coklat** *brown*
saya ada *I have*	**sebatang pen** *a pencil*	**hijau** *green*
	beberapa pen *some pens*	**hitam** *black*
saya tidak ada *I don't have*	**sebuah buku** *a book*	
	sebuah komputer *a computer*	**jingga** *orange*
	sehelai kertas *a piece of paper*	**kelabu** *grey*
saya perlu *I need*	**sebatang gam** *a gluestick*	**kuning** *yellow*
	sebatang pen *a felt tip pen*	**merah** *red*
saya tidak perlu *I don't need*	**sebuah pengasah pensel** *a pencil sharpener*	**merah muda/**
	sebuah diari *a diary*	**merah jambu** *pink*
	sebuah kalkulator *a calculator*	**putih** *white*
	sebuah pemadam *a rubber*	
Kawan saya Ahmad ada *My friend Ahmad has*	**sebuah meja** *a table*	
	sebuah papan putih *a whiteboard*	
kawan saya Ahmad tidak ada *My friend Ahmad does not have*	**sebatang pen** *a fountain pen*	
	sebatang pembaris *a ruler*	
	sebuah kerusi *a chair*	
	sebilah gunting *scissors*	

Unit 10. Saying what's in my school bag: VOCABULARY BUILDING

1. Complete with the missing word

a. Saya ada _____   *I have an exercise book*

b. Saya perlu _____   *I need an eraser*

c. Saya tidak ada _____   *I don't have a pen*

d. Kawan saya ada _____   *My friend has a paper*

e. Saya ada _____   *I have a calculator*

f. Saya perlu _____   *I need a chair*

g. Saya tidak ada _____   *I don't have a ruler*

h. Kawan saya ada _____   *My friend has scissors*

2. Match up

sebuah pemadam	a pencil
sebatang pensel	a planner
sebuah buku rancangan	I have a...
	a sharpener
sebuah kerusi	a pen
saya ada	I don't have a
saya perlu	a chair
saya tidak ada	an eraser
sebuah pengasah pensel	I need a
sebatang pen	

3. Translate into English

a. Saya ada sebuah pemadam

b. Kawan saya ada sebuah buku nota

c. Saya tidak ada sebuah buku rancangan

d. Saya ada sebatang pensel

e. Saya tidak ada sebuah pengasah pensel

f. Saya perlu sebatang pen

g. Ada sebuah komputer

h. Saya tidak ada sebatang pen

4. Add the missing letter

a. sebil_h guntin_

b. sebu_h bu_u

c. sebua_ diar_

d. say_ a_a

e. sebij_ pemad_m

f. sebatan_ p_n

g. seba_ang ga_

h. sa_a tida_ ad_

5. Anagrams

a. barispem

b. kubu

c. ngsahpe selpen

d. dammape

e. takko selpen

f. geb

g. kubu tano

h. tinggun

6. Broken words

a. D__ d___ b__ s_____ a_ k_____ p _____
In my bag I have a pencil case

b. D__ d___ k__ p_____ s_____ a__ b____ b _____ p_____
In my pencil case I have some pencils

c. S__ t___ a____ p_____ *I don't have an eraser*

d. S__ p_____ p_____ *I need a ruler*

e. A____ p_____ p_____ *There is a whiteboard*

f. S___ a____ b__p_____w_____ b_____ *I have some blue pens*

g. S__ p_____ p_____ w_____ m_____ *I need a red pen*

7. Complete with a suitable word

a. Saya ada _____

b. Saya ada _____ pensel

c. Saya suka warna _____

d. _____ ada komputer

e. Pensel _____

f. Saya suka _____ merah

g. Saya ada _____

h. Saya ada _____

i. Kawan saya tidak _____ penanda buku.

j. Beberapa _____ pensel

k. Ada _____ papan putih

Unit 10. Saying what's in my school bag: READING

Nama saya Farhana. Saya berumur dua belas tahun dan saya tinggal di Rom, Itali. Kami berempat dalam keluarga saya. Saya mempunyai kucing putih besar. Dalam beg galas saya ada banyak barang. Ada pensel merah, pen kuning, pembaris merah dan pemadam putih. Getah adalah kegemaran saya. Rakan saya Lucía hanya ada satu benda di dalam bekas penselnya, iaitu pensel. tetapi di rumahnya dia ada kuda kelabu!

Nama saya Andy. Saya berumur lima belas tahun dan saya tinggal di Paris, Perancis. Dalam keluarga saya ada tiga orang. Saya ada tikus belanda yang sangat lucu. Dalam kelas saya ada banyak benda. Terdapat papan hitam, komputer dan tiga puluh buah meja. Kelas saya sangat besar. Saya ada pensel biru, penanda buku kuning, pembaris baru dan pemadam. Rakan saya Martín ada pensel semua warna.

Nama saya Lucas. Saya berumur lapan belas tahun dan saya tinggal di Cádiz, Sepanyol. Dalam keluarga saya ada lima orang. Nama abang saya ialah Andy. Dalam kelas saya ada papan putih dan dua puluh meja. Ada juga dua puluh kerusi. Satu untuk setiap orang. Kelas saya bagus dan guru saya sangat kelakar tetapi, saya tidak ada pensel atau pen,pembaris ataupun pemadam. Saya tidak ada apa-apa. Saya perlukan segala-galanya. Di rumah, saya ada tikus putih yang sangat lucu.

Nama saya Emiliano. Saya berumur sebelas tahun dan saya tinggal di ibu kota Mexico. Kami berempat dalam keluarga saya. Saya sayang ibu saya tetapi saya tidak suka ayah saya. Dia tidak mesra. Dia seorang peguam. Dalam kelas saya tidak banyak benda. Tiada papan hitam mahupun komputer. Terdapat dua puluh lapan meja, tetapi hanya ada dua puluh tujuh kerusi. Ia satu masalah! Saya mempunyai pensel, kalkulator dan buku rancangan.

1. Find the Malay in Farhana's text

a. I am 12

b. I live in Rome

c. There are 4 people

d. A white cat

e. A red pencil

f. A yellow pen

g. It is my favourite

h. Only has one thing

i. In her house

j. A grey horse

2. Find Someone Who...

a. ...has a blue pencil

b. ...has most tables in their class

c. ...has a class with one student always standing

d. ...has no school equipment

e. ...has a big pet

f. ...doesn't like their dad

3. Answer the following questions about Lucas' text

a. Where does Lucas live?

b. Who is Andy?

c. How many tables and chairs are there in his class?

d. How does he describe his class?

e. What school equipment does he have?

f. What pet does he have?

g. How does he describe his pet?

5. Fill in the blanks about Kazar

N_____ saya Kazar. Umur saya tiga belas t_____ dan saya tinggal d_ Alor Setar , Kedah. Dalam keluarga saya a_____ empat orang. Di dalam kelas saya a_____ banyak benda. Ada s_____ komputer dan sebuah papan p____. Di dalam b____ sekolah saya ada dua buah b_____ dan k_____ pensel saya. Kawan saya a____ banyak pensel tetapi t__ ada pemadam. Saya suka guru s____ kerana dia c___ dan b____ h____. Di rumah saya a____ ular hijau.

4. Fill in the table below

Name	Farhana	Andy
Age		
City		
Items in pencil case		

Unit 10. Saying what's in my school bag: TRANSLATION

1. Faulty translation: spot and correct *in the English* any translation mistakes you find below

a. Di dalam kelas saya terdapat dua papan putih dan sebuah komputer. Saya tidak suka guru saya *In my class there is a whiteboard and a computer. I like my teacher.*

b. Saya tidak ada banyak benda dalam kotak pensel saya. Saya ada pensel merah jambu tetapi saya tidak ada pembaris *I have many things in my pencil case. I have a red pencil but I don't have an eraser.*

c. Kawan saya Emilio ada empat orang dalam keluarga dia. Anda memerlukan penanda hitam dan diari *My friend Emilio has five people in his family. He needs a black pen and a diary.*

d. Saya memerlukan pengasah pensel dan gam. Saya tidak ada pembaris atau pen. Saya sayang cikgu! *I need paper and a rubber. I don't have a ruler or a pen. I hate my teacher!*

e. Dalam kelas saya ada tiga puluh meja dan tiga puluh kerusi. Saya memerlukan diari tetapi saya ada kamus *In my class there are thirty cats and thirty chairs. I need a calculator but I have a dictionary.*

2. Translate into English

a. Saya perlu p

b. Saya ada pensel hitam

c. Saya ada pen biru

d. pembaris hijau

e. Saya ada anjing di rumah

f. kawan saya ada buku

g. Ayah saya bekerja sebagai...

h. Saya suka guru saya

i. beberapa pensel kuning

j. Sebuah papan putih besar

k. Saya ada banyak benda

l. Saya tidak ada pengasah pensel

m. Saya perlu kamus

3. Phrase-level translation En to Malay

a. A red book

b. A black calculator

c. I don't have

d. I need a...

e. I like

f. There are...

g. I have

h. My friend has...

4. Sentence-level translation En to Malay

a. There are 20 tables

b. There is a whiteboard

c. My teacher is nice

d. I have some blue pens

e. I have some orange pencils

f. I need an eraser and a sharpener

g. I need a chair and a book

h. My class is very big and pretty

i. My father is a teacher

Unit 10. Saying what's in my school bag: WRITING

1. Split sentences

Saya ada sebatang	pengasah pensel
Saya ada sebuah buku	biru
Kelas saya ada	besar dan cantik
Ada tiga puluh	orang pelajar
Saya ada sebuah beg	papan putih
Saya tidak suka pen	nota
Saya ada	pen

2. Rewrite the sentences in the correct order

a. Saya kalkulator perlukan

b. Saya ada pembaris merah pensel dan hitam

c. Kelas besar saya sangat

d. Kertas putih kawan saya ada

e. tidak ada biru saya diari

f. Dalam kura-kura hijau saya ada rumah

g. Ayah bekerja saya doktor dan dia di hospital seorang

3. Spot and correct the grammar and spelling note: in several cases a word is missing

a. Dalam kelas sayo ada dua puluh meja.

b. Saya ado kalkulator hitom.

c. Dalam kes saya ada banyok benda.

d. Kawan saya tidok ada apa-apa dalam kes dia.

e. Saya perlu pensil dan pemadam.

f. Kawan saya Fernando ada pensil semua warna.

g. Ibu saya seorang mekanik dan bekerja di hospital.

h. Saya tinggi dan koat. Saya ada rambot perang dan mata biru.

4. Anagrams

a. dampema

b. ngasahep selpen

c. nep

d. kubu

e. lasek

f. rugu

g. napap tihpu

5. Guided writing – write 4 short paragraphs describing the people below using the details in the box I

Person	Lives	Has	Hasn't	Needs
Nari	Kedah	Exercise book	Pen	Diary
Ika	Penang	Ruler	Pencil	A paper
Julia	Perak	Felt tip	Sharpener	A gluestick

6. Describe this person in Malay:

Name: Diego

Pet: A black horse

Hair: brown + blue eyes

School equipment: has pen, pencil, ruler, eraser

Does not have: sharpener, paper, chair

Favourite colour: blue

 **THE LANGUAGE GYM**

Grammar Time 6: Using Classifiers (Ekor, Buah, Orang)

Berapa ekor haiwan anda ada? Berapa jumlah buah anda ada? Apakah pekerjaan anda?

Saya *I (formal)* **Aku** *I (informal)* **Anda** *you (form)* **Kamu** *you (inf)* **Dia** *s/ he* **Kita** *we (inc. listener)* **Kami** *we (ex. listener)* **Anda semua** *you all* **Mereka** *they* **kawan anda** *your friend* **bapa anda** *your dad* **Kakak saya** *My older sister* **Datuk saya** *My grandpa* **Sepupu saya** *My cousin* **Kawan saya <u>Alia</u>** *My friend <u>Alia</u>* **Kawan saya** *My friend* **Kawan-kawan saya** *My friends*	**ada** *have/ has* **mempunyai** *own/ have* **memiliki** *own/ have* **tidak ada** *don't have/ doesn't have*	**seekor** **2 ekor** **3 ekor**	**anjing** *dog* **ayam** *chicken* **burung** *bird* **ikan** *fish* **itik** *duck* **kucing** *cat* **kuda** *horse* **kura-kura** *tortoise* **penguin** *penguin*
		sebuah **2 buah** **3 buah**	**buku** *book* **kamus** *dictionary* **kotak pensil** *pencil case* **komputer** *computer* **kalkulator** *calculator* **meja** *table* **pemadam** *rubber* **pengasah pensil** *pencil sharpener* **papan tulis** *whiteboard*
		seorang	**aktor** *actor* **doktor** *doctor* **doktor gigi** *dentist* **guru** *teacher* **jururawat** *nurse* **jurutera** *engineer* **mekanik** *mechanic* **penyanyi** *singer* **peguam** *lawyer* **suri rumah tangga** *housewife* **tukang masak** *chef* **tukang gunting rambut** *barber*

Author's note: *In Malay, there are no articles, but we have different ways of saying 'a/an/some' and 'the' for person/s, thing/s, or animal/s. The rule is to add* **'se'** *(which means one, a/an) plus a special word.* **Person: seorang, Thing: sebuah, Animal: seekor**

Using Classifiers (Ekor, Buah, Orang) – Drills (1)

1. Match up

Ada	a
Mempunyai	a
Memiliki	Don't have
Tidak ada	own/ have
Seekor	own/ have
Sebuah	have/ has

2. Complete with the missing forms

a. Datuk saya ada se____ kuda — *My grandfather has a horse*

b. Ibu saya ada dua ____ ayam — *My mother has two chickens*

c. Kakak saya ada empat ___ kucing — *My sister has four cats*

d. Datuk saya ada se___ lembu — *My grandfather has a cow*

e. Saya mempunyai se___ buku teks — *I have a textbook*

f. Saya memiliki se____ kotak pensel — *I have a box of pencils*

g. Saya mempunyai se____ papan hitam — *I have a blackboard*

h. Abang saya se_____ doktor — *My brother is a doctor*

3. Translate into English

a. Ayah saya ada seekor arnab

b. Ibu saya mempunyai 2 buah komputer

c. Abang saya memiliki 2 buah kamus

d. Adik perempuan saya ada seekor kucing

e. Kawan baik saya ada seekor kuda

f. Datuk saya memiliki seekor lembu

g. Kakak saya seorang jururawat

h. Anda semua ada sebuah kotak pensil

4. Complete with the missing letters

a. Ayah say_ ada se_kor anjing
My father has a dog

b. Ib_ saya mempunya_ 2 buah meja.
My mother has 2 tables

c. Aban_ saya memiliki 2 buah _omputer
My brother has 2 computers

d. Adik perempuan saya se_rang jurutera
My younger sister is an engineer

e. Kaw_n baik saya ad_ seekor penguin
My good friend has a penguin

f. D_tuk saya memiliki seekor kura-kur_
My grandfather has a tortoise

g. Kakak saya mempunyai seek_r kuda
My sister has a horse

5. Translate into English

a. Seorang doktor: a d_ _ _ _ _

b. Seorang guru: a t_ _ _ _ _ _

c. Sebuah buku: a b_ _ _

d. Sebuah meja: a t_ _ _ _

e. Seekor kuda: a h_ _ _ _

f. Seekor arnab: a r_ _ _ _ _

6. Spot and correct the errors

a. Kakak saya ada empat orang kucing

b. Datuk saya ada sebuah lembu

c. Saya mempunyai seekor buku teks

d. Saya memiliki seorang kotak pensel

e. Kakak saya seekor jururawat

THE LANGUAGE GYM

Using Classifiers: Drills (2)

7. Translate the pronoun and verb into Malay as shown in the example

I have: **Saya ada**

You have: (   )

She has: (   )

He has: (   )

We have: (   )

You guys have: (   )

They have: (   )

8. Translate into Malay. Topic: Pets and colours

a. We have a blue parrot

b. I have two green turtles

c. My brother has a white guinea pig

d. My uncles have a black horse

e. My sister has a red and black spider

f. We don't have pets at home

g. Do you have pets at home?

9. Translate into Malay. Topic: family members

a. I don't have brothers

b. We have two grandparents

c. My mother has no sisters

d. Do you have any brothers or sisters?

e. Do you guys have cousins?

f. I don't have any brothers

10. Translate into Malay. Topic: Age

a. They are fifteen years old

b. We are fourteen years old

c. I am sixteen years old

d. You guys are twelve years old

e. How old are you?

f. My mother is forty

11. Translate into Malay. Topic: Hair and eyes

a. I have black hair

b. We have blue eyes

c. She has curly hair

d. My mother has blond hair

e. Do you have grey eyes ?

f. They have green eyes

g. My brother has brown eyes

h. We have no hair

i. You guys have beautiful eyes

j. My parents have red hair

k. You have no hair

l. My sister has very long hair

Grammar Time 7: Classroom Expressions, Being Polite and Apologising in Malay

Teacher expressions

Sila *Please*	**duduk** *sit down*	**Tolong** *Please*	**buka** *open* **tutup** *close*	**buku latihan** *exercise book* **buku teks** *text book* **kamus** *dictionary* **komputer** *computer* **pintu** *door* **tingkap** *window*
	masuk *come in*		**ambil** *take*	**kertas dari meja** *paper from the table*
	tunggu sebentar *wait a moment*		**hidupkan** *turn on* **matikan** *turn off*	**lampu** *light*
			ulangi *repeat*	
			lihat *look at*	**papan putih** *whiteboard*
Ada *are there*	**pertanyaan?** *questions*	**Cuba** *Try*	**baca** *read* **jelaskan jawapan** *explain the answer*	**sekarang** *now*
Sudah *Already*	**selesai?** *ready* **siap?** *finished*		**ulangi** *repeat*	**lagi** *again*

Student Expressions

Student Expressions						Teacher response
Maaf *I'm sorry* **Maafkan saya** *Excuse me*	**Cikgu** *(male or female teacher)*	**Bolehkah** *May*	**saya** *I*	**pergi ke** *go to*	**pejabat?** *office* **pejabat IT?** *IT office* **perpustakaan?** *library* **tandas?** *toilet*	**Boleh** *You may* **Tidak boleh** *You may not*
				pinjam *borrow*	**buku?** *book* **pen?** *pen* **pensel?** *pencil* **pembaris?** *ruler* **pemadam?** *eraser*	
		Bolehkah	**Cikgu**	**ulangi semula?** *Repeat again*		**Boleh** *can*
Terima kasih *Thank you*		**Sama-sama** *You're welcome*				

 THE LANGUAGE GYM

DRILLS

1. Match the translations

a. Tolong buka buku latihan anda

b. Tolong matikan lampu itu

c. Cuba jelaskan jawapan sekarang.

d. Ada soalan.

e. Bolehkah saya pergi ke tandas?

Can I go to the toilet?

Please turn off the light

Try to explain the answer now

There is a question

Please open your exercise book

2. Complete with the missing word

a. _____ (please) masuk

b. _____ (please) duduk

c. _____ (please) tunggu sebentar

d. _____ (please) buka buku latihan

e. _____ (please) tutup buku teks

f. _____ (please) tutup komputer

g. _____ (please) tutup pintu dan tingkap

h. _____ (Are there) soalan?

i. _____ (Are there) soalan?

3. Match the words

Boleh	You may not
Sila	Are there
Bolehkah saya	Already
Maafkan saya	I'm sorry
Maaf	Excuse me
Sudah	Can
Ada	Please
Tidak boleh	May I

5. Translate into Malay

a. I'm sorry teacher. Can I go to the library, please?

b. Sorry teacher. May I go to the toilet, please?

c. Can I borrow an eraser and a pen, please?

d. Can I borrow a book and a pen, please?

e. Teacher, can you please repeat it again?

f. Try to read first

g. Please have a look at the whiteboard

h. Thank you, teacher

i. Can you please explain the answer first?

4. Translate into English

a. Cikgu, bolehkah saya pergi ke perpustakaan?

b. Cikgu, bolehkah saya pergi ke kantin?

c. Bolehkah saya pinjam pemadam dan pembaris?

d. Bolehkah saya pinjam pensel dan pen?

e. Boleh cikgu ulang dan baca semula?

f. Cuba jelaskan jawapan sekarang

g. Sila lihat papan putih

h. Sudah siap, cikgu!

 THE LANGUAGE GYM

UNIT 11 (Part 1)
Talking about food:
Likes/ Dislikes/ Reasons

Grammar Time 8: Adverbs of Frequency (Part 1)

In this unit will learn how to say:

- What food you like/ dislike and to what extent
- Why you like/ dislike it (old and new expressions)
- New adjectives
- How often you eat certain foods

You will revisit the following

- Time markers
- Providing a justification

UNIT 11: Talking about food
Likes/ Dislikes/ Reasons - Part 1

Saya cukup suka *I quite like* **Saya suka** *I like* **Saya sangat suka** *I like a lot* **Saya sedikit suka** *I like a bit* **Saya lebih suka** *I prefer* **Saya kurang suka** *I don't really like* **Saya tidak suka** *I don't like* **Saya benci** *I hate*	**air** *water* **ayam** *chicken* **buah-buahan** *fruits* **daging** *meat* **epal** *apples* **gado-gado** *salad with peanut sauce* **gula-gula** *sweets* **ikan** *fish* **jus buah** *fruit juice* **keju** *cheese* **kopi** *coffee* **kari** *curry* **kek** *cake* **madu** *honey* **nanas** *pineapple* **nasi** *rice* **nasi goreng** *fried rice* **pisang** *bananas* **roti** *bread* **sate ayam** *chicken satay* **sayur-sayuran** *vegetables* **susu** *milk* **sup bebola daging** *meatball soup* **telur** *eggs* **tomato** *tomatoes* **udang** *prawns*	**kerana rasanya** *because it's taste*	**berminyak** *greasy* **busuk** *rotten* **lazat** *tasty* **masam** *sour* **masin** *salty* **manis** *sweet* **memualkan** *disgusting* **pahit** *bitter* **pedas** *spicy* **sedap/enak** *delicious* **tidak lazat** *not tasty*
		kerana *because it is*	**berkhasiat** *nutritious* **berprotein tinggi** *high in protein* **kaya dengan vitamin dan protein** *rich in vitamins and protein* **segar** *refreshing, fresh* **sihat** *healthy* **tidak sihat** *unhealthy*

Author's note:
***Buah-buahan** refers to all kinds of fruit, and **sayur-sayuran** refers to all kinds of vegetables.

Unit 11. Talking about food (Part 1): VOCABULARY BUILDING (Part 1)

1. Match up

Pisang	Eggs
Nasi	Apples
Daging	Fish
Sate ayam	Milk
Air	Fruit
Susu	Water
Telur	Pineapple
Ikan	Chicken satay
Nanas	Meat
Buah-buahan	Bananas
Epal	Rice

2. Complete

a. Saya sangat suka _____   *I like chicken a lot*

b. Saya suka _____   *I love prawns*

c. Saya suka _____   *I like strawberries*

d. Saya suka _____   *I love milk*

e. Saya suka _____   *I love bananas*

f. Saya suka ___ mineral   *I love mineral water*

g. Saya tidak suka _____   *I don't like tomatoes*

h. Saya benci _____   *I hate chicken*

i. Saya suka _____   *I love fruit*

j. Saya tidak suka _____   *I don't like eggs*

3. Translate into English

a. Saya suka buah-buahan

b. Saya benci telur

c. Saya suka ayam bakar

d. Saya suka burger

e. Saya benci daging

f. Saya lebih suka oren

g. Saya tidak suka tomato

h. Saya benci susu

4. Complete the words

a. Tel_____

b. Pis_____

c. Buah-b_____

d. Sayur-s_____

e. Na_____

f. Ik_____

g. Ay_____

h. Da_____

5. Fill the gaps with either 'saya suka' or 'saya tidak suka' as per your own preference

a. _____telur

b. _____air

c. _____ayam

d. _____kek

e. _____sayur-sayuran

f. _____daging

g. _____buah-buahan

h. _____ikan

i. _____nasi

6. Translate into Malay

a. I like eggs

b. I love oranges

c. I hate tomatoes

d. I don't like prawns

e. I love fruit

f. I don't like vegetables

g. I hate milk

Unit 11. Talking about food (Part 1): VOCABULARY BUILDING (Part 2)

1. Complete with the missing words. The initial letter of each word is given

a. Pisang ini rasanya m_____

These bananas are disgusting

b. Epal ini rasanya s_____

These apples are delicious

c. Ayam ini sangat p_____

This chicken is very spicy

d. Saya tidak suka d_____

I don't like meat

e. Kopi ini sangat m_____

This coffee is very sweet

f. Kek tidak s_____

Cake is unhealthy

g. Sayur-sayuran s_____

Vegetables are healthy

h. Saya suka s_____ *I love milk*

2. Complete the table

Malay	English
susu	
	roast chicken
ikan	
telur	
	water
	bread
bijirin	
roti bakar	
	vegetables

3. Complete with 'saya suka' or 'saya tidak suka' as appropriate

a. _____epal

b. _____susu

c. _____roti

d. _____nasi goreng

e. _____sayur-sayuran

f. _____ikan

g. _____nasi

h. _____kopi

4. Broken words

a. S_____ t_____ s_____ t_____ *I don't like eggs*

b. S_____ s_____ e_____ *I love apples*

c. S_____ b_____ u_____*I hate prawns*

d. S_____ s_____ s_____ k_____ *I like cake a lot*

e. R_____ s_____ *It's taste is delicious*

f. I_____ s_____ *fish is healthy*

g. R_____ k_____ d_____ p_____ *meat curry is spicy*

5. Complete each sentence in a way which is logical and grammatically correct

a. _____ tidak sihat

b. Pisang _____

c. Saya tidak _____ susu

d. Saya _____ sate ayam

e. _____ ikan kerana sihat

f. _____ daging lembu kerana tidak sihat

g. _____ sayur-sayuran kerana rasanya lazat

Unit 11. Talking about food (Part 1): READING

Salam sejahtera! Nama saya Raman. Apa yang saya suka makan? Saya suka makanan laut, jadi saya sangat suka udang dan sotong kerana lazat. Saya sangat suka ikan kerana sedap dan kaya dengan protein. Terutama ikan salmon. Saya sangat suka ayam panggang. Selain itu, saya sangat suka buah-buahan, terutamanya pisang dan strawberi. Saya tidak suka sayur kerana tidak sedap.

Selamat Sejahtera! Nama saya Alen. Apa yang saya suka makan? Saya suka sayur-sayuran. Saya makan sayur-sayuran setiap hari. Sayur kegemaran saya ialah bayam, lobak merah dan terung kerana ia kaya dengan vitamin dan mineral. Saya juga suka buah-buahan kerana sihat dan lazat. Saya benci daging dan ikan walaupun tinggi protein tetapi tidak enak.

Selamat Sejahtera! Nama saya Basri. Apa yang saya suka makan? Saya suka daging, terutamanya kambing, kerana sangat lazat. Saya sangat suka ayam berempah kerana sedap dan tinggi protein. Saya sangat suka telur. Telur sihat dan kaya dengan vitamin dan protein. Saya sangat suka buah-buahan, terutamanya ceri. Ceri sangat lazat dan kaya dengan vitamin. Saya tidak suka epal.

Selamat Sejahtera! Nama saya Jasmi. Apa yang saya suka makan? Saya lebih suka daging. Saya suka kerana ia sedap. Saya sangat suka burger kerana sedap. Selain itu, saya sangat suka buah kerana manis. Saya tidak suka sayur-sayuran. Saya benci tomato dan lobak merah. Saya tidak tahan dengan telur. Telur kaya dengan protein dan vitamin, tetapi tidak sedap. Saya tidak suka kentang goreng kerana sangat tidak sihat.

Selamat Sejahtera! Nama saya Ferizal. Apa yang saya suka makan? Saya suka daging merah kerana lazat dan kaya dengan protein. Saya tidak makan banyak ikan kerana saya tidak menyukainya. Saya sangat suka sotong goreng, tetapi tidak sihat. Saya sangat suka buah terutama pisang kerana sedap, kaya dengan vitamin dan tidak mahal. Saya tidak suka epal dan saya tidak suka oren. Saya tidak makan sayur.

1. Find the Malay in Raman's text

a. I love seafood

b. I like prawns

c. Are delicious

d. I like fish a lot

e. Salmon

f. I quite like

g. Moreover

h. I don't like

i. They are not tasty

2. Ferizal or Raman? Write F or R next to each statement below

a. I love seafood - *Raman*

b. I hate oranges

c. I like fruit a lot

d. I don't like vegetables

e. I prefer salmon

f. I quite like squid

g. I prefer bananas

h. I don't eat much fish

i. I love red meat

3. Complete the following sentences based on Alen's text

a. Alen loves_____

b. He eats them _____

c. His favourite vegetables are _____

_____and _____

d. He also likes _____because it is

_____and _____

e. He hates _____and _____

4. Fill in the table below (in English) about Jasmi

Loves	Likes a lot	Doesn't like	Hates

Unit 11. Talking about food (Part 1): TRANSLATION

1. Faulty translation: spot and correct IN THE ENGLISH any translation mistakes you find below

a. Saya sangat suka udang: *I hate prawns*

b. Saya benci ayam : *I like meat*

c. Saya suka madu: *I don't like madu*

d. Saya suka oren: *I love apples*

e. Telur jijik: *Eggs are tasty*

f. Pisang kaya dengan vitamin: *Bananas are rich in protein*

g. Ikan sangat sihat: *Fish is unhealthy*

h. Saya lebih suka air mineral: *I prefer tap water*

i. Saya benci sayur-sayuran: *I love vegetables*

j. Saya suka nasi: *I love pudding*

k. Saya tidak suka buah-buahan: *I quite like fruit*

l. Sotong goreng sedap: *Fried squid is salty*

2. Translate into English

a. Udang sedap:

b. Ikan sedap:

c. Ayam kaya dengan protein:

d. Saya suka nasi

e. Daging merah tidak sihat:

f. Sedikit sotong goreng:

g. Telur menjijikkan:

h. Saya lebih suka air berkarbonat:

i. Saya cukup suka udang.

j. Saya tidak suka sayur-sayuran:

k. Saya suka lobak merah:

l. Kopi ini sangat manis:

m. Epal menjijikkan:

n. Beberapa oren sedap:

3. Phrase-level translation En to Malay

a. Spicy chicken:

b. This coffee:

c. I quite like:

d. Very sweet:

e. A disgusting apple:

f. Some delicious oranges:

g. I don't like:

h. I love:

i. Tasty fish:

j. Mineral water:

k. Roast meat:

4. Sentence-level translation En to Malay

a. I like spicy chicken a lot

b. I like oranges because they are healthy

c. Meat is tasty but unhealthy

d. This coffee is very sweet

e. Eggs are disgusting

f. I love oranges. They are delicious and rich in vitamins

g. I love fish. It is tasty and rich in protein

h. Vegetables are disgusting

i. I prefer bananas

j. This tea is sweet

Unit 11. Talking about food (Part 1): WRITING

1. Split sentences

Saya suka ayam	buah-buahan
Saya tidak suka sayur	panggang
Saya lebih suka	kerana pahit
Saya jarang makan buah	epal
Saya suka makan sotong	goreng
Saya paling suka	piza
Saya gemar makan	nasi

2. Rewrite the sentences in the correct order

a. (Example) Saya ayam panggang suka
Saya suka ayam panggang

b. tidak suka saya sayur

c. manis kopi itu

d. suka saya sotong goreng

e. saya minum jus

f. sayur itu pahit sangat

g. Saya sedap suka buah limau kerana sangat

3. Spot and correct the grammar and spelling (there may be missing words)

a. saya suka oreng

b. saya suka tidak sayur

c. telur yang menjijikkan

d. saya suka kopi ini

e. saya lebih suka lobak merah

f. saya benci daging

4. Anagrams

a. naMakan

b. mMinuan

c. Kmaregean

d. anKesuka

e. ng-kadKadaang

f. aLazt

g. akuS

5. Guided writing – write 4 short paragraphs describing the people below using the details in the box I

Person	Loves	Quite likes	Doesn't like	Hates
Hanizah	Curry because spicy	Milk because healthy	Red meat	Eggs because disgusting
Norlely	Chicken because healthy	Oranges because sweet	Fish	Meat because unhealthy
Natasha	Honey because sweet	Fish because tasty	Fruit	Vegetables because boring

6. Write a paragraph on Rafa in Malay using the third person singular

Name: Alyeana Antasha
Age: 18
Description: Tall, good-looking, sporty, nice
Occupation: Student
Food he loves: Chicken
Food he likes: Vegetables
Food he doesn't like: Red meat
Food he hates: Fish

THE LANGUAGE GYM

Grammar Time 8: ADVERBS OF FREQUENCY
Talking about food Part 1

Saya *I* **Aku** *I (informal)* **Anda** *you* **Kamu** *you (inf.)* **Dia** *He/ She* ****Kami** *We* *****Kita** *We* **Mereka** *They*	***selalu** *always* ***sering** *often* ***kadang-kadang** *sometimes* ***sekali-sekala** *from time to time* **belum pernah** *never* **jarang** *rarely* ***setiap hari** *every day*	**minum** *drink*	**air** *water* **air kelapa muda** *iced coconut drink* **jus oren** *orange juice* **kopi** *coffee* **koktel buah-buahan** *fruit cocktail* **minuman herba** *herbal drink* **susu** *milk* **teh** *tea*
		makan *eat*	**buah-buahan** *fruits* **daging** *meat* **epal** *apples* **gula-gula** *sweets* **ikan** *fish* **nasi goreng** *fried rice* **nasi** *rice* **nanas** *pineapple* **pisang** *bananas* **roti** *bread* **sayur-sayuran** *vegetables* **sup bebola daging** *meatball soup* **sate ayam** *chicken satay* **tomato** *tomatoes* **telur** *eggs*

Author's note:
* These adverbs of frequency can also be positioned at the end of the sentence.
** **Kami** means *'we'* excluding the listener/ reader
*****Kita** means *'we'* including the listener/ reader

1. Match

Saya makan	They eat
Kamu makan	He/ she eats
Kamu semua makan	We eat
	You guys eat
Kita makan	You eat
Dia makan	I eat
Mereka makan	

2. Translate into English

a. Saya makan nasi

b. Dia minum jus

c. Saya jarang makan daging

d. Anda sering makan ikan?

e. Mereka selalu minum air

f. Mereka jarang makan ayam

g. Saya sering makan sate ayam

h. Anda makan ayam?

i. Kamu minum apa?

j. Saya kadang-kadang makan roti

3. Spot and correct the mistakes

a. Ibu saya makan nasa.

b. Adik saya kadang-kadung makan kek

c. Kawan saya soka makan sate ayam

d. Keluarga saya sering makan teh

e. Dia suka makan kopi manis

f. Maraka selalu minum minuman herba

g. Kamu suka makan berapa untuk sarapan?

h. Anda minum siapa?

4. Complete

a. Bapa saya _____ makan banyak buah

b. Kamu _____ jus tembikai

c. Adakah _____ suka makan ayam?

d. Saya dan ibu_____ makan nasi goreng

e. Bapa saya _____ minum air

f. Kakak _____ suka minum kopi panas

g. Saya tidak pernah _____mi udang

h. Apakah _____ sarapan pagi?

5. Translate into Malay

a. I eat rice.

b. We *(including)* drink iced coconut drink.

c. What do you eat?

d. What do you drink?

e. We *(excluding)* eat meatball soup often.

f. They sometimes eat fish.

g. She never drinks herbal drinks.

h. He always drinks water.

6. Translate into Malay

a. I never eat red meat. I don't like it because it is unhealthy.

b. I rarely eat sausages. I don't like them because they are oily.

c. I drink fruit juice often. I love it because it is delicious and healthy.

d. I eat rice every day. I love it because it is very tasty.

e. I rarely eat vegetables. They are tasty but I don't like them because they are disgusting.

f. I never drink tea or coffee because I don't like them.

 THE LANGUAGE GYM

UNIT 12
Talking about food - Part 2
Likes/ Dislikes / Reasons

Grammar Time 9: Quantities
Grammar Time 10: The Suffix - NYA
Question Skills 2: Jobs/ School Bag/ Food

In this unit you will consolidate all that you learnt in the previous unit and learn how to say:
- What meals you eat every day and
- What you eat at each meal

You will revisit the following:
- Noun & adjective

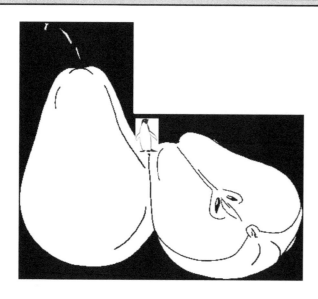

 **THE LANGUAGE GYM**

Talking about food: Likes/ Dislikes/ Reasons

Sarapan pagi saya makan *At breakfast I eat*	**air** *water*		
	ayam panggang *roast chicken*		
	bayam *spinach*		
	bubur *porridge*		
	buah-buahan *fruits*		
Makan tengahari saya makan *At lunch I eat*	**daging** *meat*		**berjus** *juicy*
	epal *apple*		**berminyak** *greasy*
	ikan goreng *fried fish*		**berkhasiat** *nutritious*
Makan malam saya makan *At dinner time I eat*	**ikan** *fish*		**lazat/ enak** *tasty*
	jus buah *fruit juice*		**makanan sihat** *healthy food*
	keju *cheese*		**manis** *sweet*
Saya minum *I drink*	**kopi** *coffee*	**kerana** *because it is*	**masin** *salty*
	kentang goreng *fries*		**menjijikkan** *disgusting*
	kelapa *coconut*		**pahit** *bitter*
## Likes/ dislikes	**lobak merah** *carrots*		**pedas** *spicy*
	madu *honey*		**sedap** *delicious*
	mi kari *curry noodles*		**segar** *refreshing*
Saya sangat suka *I like a lot*	**nasi** *rice*		**tidak sihat** *unhealthy*
	pisang *bananas*		**vitamin** *vitamin*
Saya suka *I like*	**rendang daging** *beef curry*		
	sayur-sayuran *vegetables*		
Saya sedikit suka *I like a bit*	**susu** *milk*		
	teh *tea*		
Saya tidak suka *I don't like*	**tomato** *tomatoes*		
	udang *prawns*		
Saya benci *I hate*			

Unit 12. Talking about food – Likes/ Dislikes (Part 2): VOCABULARY

1. Match

air	porridge
ikan	water
nasi	chicken satay
bubur	fish
sate ayam	curry noodles
daging	honey
bayam	prawns
udang	coconut
madu	meat curry
mi kari	rice
kari daging	fruit
kelapa	spinach
sayur-sayuran	vegetables
buah-buahan	meat

2. Complete with the missing words

a. Saya suka _____   *I like seafood*

b. Saya sangat suka _____   *I really like meat curry*

c. Saya suka _____   *I like vegetables*

d. Saya suka _____   *I like coconut*

e. _____ ini lazat   *This chicken is delicious*

f. _____ ini sangat berjus   *This meat is very juicy*

g. Saya sangat suka _____   *I like bananas a lot*

h. Saya suka _____   *I like spring rolls*

i. Saya tidak suka _____   *I don't like fish*

3. Complete with the missing letters

a. a_ _   *water*

b. d_ _ _ ng *meat*

c. b_ _ _-b_ _ _ an *fruits*

d. ke_ _ _ a *coconut*

e. e _ _ _ *apple*

f. ken_ _ _ g *potato*

g. mak_ _ an l_ _ t *seafood*

h. m_ *mee*

i. p_ _ _ ng *banana*

j. i_ _ _ *fish*

k. berj_ _ *juicy*

l. n_ _ _ *rice*

m. ais k_ _ _ *ice cream*

n. b_ b _ r *porridge*

o. lo_ _ _ merah *carrot*

p. ba_ _ *good*

q. r_ _ _ *bread*

r. p_ _ _ _ _ *spicy*

4. Match

kuat	strong
goreng	fried
berminyak	greasy
lazat	delicious
sihat	healthy
pedas	spicy
sedap	tasty
masin	masin
menjijikkan	disgusting
manis	sweet
pahit	bitter

5. Sort the items below into the appropriate category

sedap	brokoli	epal	pahit	salmon	susu
rambutan	udang	strawberi	daging	ayam	lobak merah
bagus	berminyak	besar	ikan tuna	gula-gula	keju
berair	tidak sihat	pisang	sihat	bayam	marjerin

Buah-buahan	Sayur-sayuran	Adjektif	Ikan dan daging	Produk tenusu

Unit 12. Talking about food – Likes/ Dislikes (Part 2): READING Part 1)

Nama saya Rishly. Apa yang saya makan? Biasanya saya tidak makan banyak untuk sarapan. Saya makan sebiji epal atau pisang dan kopi. Saya tidak suka kopi manis.

Pada waktu tengahari, saya makan burger, kentang goreng dan minum air atau jus buah. Burger tidak sihat, tetapi saya sangat suka. Saya suka jus buah. Selepas sekolah saya makan dua keping roti bakar dengan jem dan saya minum secawan teh. Pada waktu makan malam saya biasanya makan nasi, ayam, sayur dan untuk pencuci mulut satu atau dua kuih. Saya mahu makan keju, kerana lazat, tetapi ibu saya cakap tidak sihat. Dia tidak suka keju.

Nama saya Fazirah. Apa yang saya makan? Saya biasanya tidak makan banyak untuk sarapan. Saya makan telur dan minum teh. Saya suka teh manis, dengan banyak gula. Kadang-kadang saya minum jus nanas. Pada waktu tengahari saya makan ayam panggang dengan sayur dan saya minum air mineral. Saya makan banyak sayur kerana sangat sihat dan sedap. Saya mahu makan udang kerana saya sangat suka. Selepas sekolah, untuk munum petang saya makan 2 keping roti dengan madu dan minum secawan teh. Saya suka madu kerana sangat manis, enak dan kaya dengan vitamin. Pada waktu makan malam saya biasanya makan nasi, makanan laut atau ikan dengan sayur dan untuk pencuci mulut satu atau dua kuih. Kadang-kadang saya makan ayam kerana berkhasiat, tetapi saya kurang suka kerana tidak sedap.

1. Find the Malay for the words below in Fazirah's text.

a. Egg :   t_____

b. Tea: t_____

c. Sweet: m_____

d. Sugar: g_____

e. Noon: p_____

f. Chicken: a_____

g. Roast: p_____

h. After: s_____

i. Cup: c_____

j. Honey: m_____

k. Vegetables: s_____

l. Healthy: s_____

m.Delicious: s_____

n. Dinner: m_____

o. Tasty: l_____

p. Cake: k_____

2. Complete the following sentences based on Fazirah's text

a. In general, at breakfast I only eat an _____ and a cup of _____

b. I like tea _____ with a lot of _____

c. At _____, for lunch I eat _____ _____ with _____ and drink _____ _____

d. I eat a lot of vegetables because they are _____ and delicious

e. As a snack I have two _____ with _____ and drink a _____ of tea

f. At dinner I usually eat _____, seafood or _____ with _____ and for dessert, one or two _____.

g. Sometimes I eat _____

3. Find the Malay for the following in Rishly's/ Fazirah's text

a. I don't have much for breakfast

b. At noon I eat

c. Roast chicken

d. For dessert

e. One or two pastries

f. I would like to eat

g. A cup of tea

h. After school

i. Rice, seafood or fish

j. Toasts with jam

k. Burgers are not healthy

l. Very sweet

m. An apple or a banana

Unit 12. Talking about food – Likes/ Dislikes (Part 2): READING Part 2

4. Who says this, Rishly or Fazirahh? Or both?

a. I would love to eat cheese – *Rishly*

b. I love honey

c. I love fruit juice

d. I don't eat much for breakfast

e. I would like to eat prawns

f. I have toast with jam and butter

g. I am crazy about burgers

h. Burgers are not healthy

i. At dinner I eat quite a bit

j. I drink mineral water

k. His mother hates cheese

l. Sometimes I drink pineapple juice

Nama saya Yahaya. Apa yang saya makan? Pada waktu sarapan pagi saya makan banyak. Saya makan pisang, telur, bubur ayam, jus buah, dan secawan kopi. Saya suka kopi manis.

Pada waktu makan tengahari, saya biasanya makan nasi dengan ayam dan sayur dan saya minum air mineral atau jus oren. Saya suka ayam kerana sihat dan kaya dengan protein. Kadang-kadang saya makan kari daging. Saya suka kari daging kerana pedas dan berkhasiat.

Selepas sekolah saya makan dua keping roti bakar dengan mentega, minum secawan teh dan makan buah nanas. Pada waktu makan malam saya makan banyak. Biasanya saya makan nasi, daging dengan sayur dan ais krim atau kuih untuk pencuci mulut. Saya ingin makan coklat, kerana enak, tetapi ibu saya cakap tidak sihat.

5. Answer the following questions on Yahaya's text

a. How much does he eat at breakfast?

b. What does he eat? 3 things

c. How does he like coffee?

d. What juice does he drink at lunch?

e. What does he have with rice?

f. Why does he like beef curry?

g. What does he put on toast in the afternoon?

h. Why doesn't his mother allow him to eat chocolate?

6. Find in Yahaya's text the following:

a. words for dessert, starting with P....M...:

b. a vegetable starting with S:

c. a drink starting with T:

d. a type of meat dish starting with K.... D....:

e. a fruit starting with P:

f. a dairy product starting with M:

g. an adjective starting with P

h. a container starting with S:

i. a verb starting with M:

j. a fruit starting with N:

k. an adjective starting with B:

l. a meal starting with S:

 THE LANGUAGE GYM

Unit 12. Talking about food – Likes/ Dislikes (Part 2): WRITING

1. Split sentences

Saya makan sate	sangat sedap
Nasi goreng	jem
Roti dengan	ayam
Saya suka minum	pisang
Daging merah itu	lazat tetapi tidak sihat
Kari daging	atau kopi
Buah kesukaan saya	jus buah
Saya minum teh	sangat pedas

2. . Complete with the correct option

a. Saya suka _____ laut, terutamanya sotong.

b. Biasanya, saya makan sate dengan _____.

c. Biasanya, untuk_____ saya makan roti.

d. Saya selalu _____ dengan kakak saya.

e. Saya makan ikan dan _____.

f. Biasanya, saya minum _____.

g. Saya sangat suka _____kerana sangat manis.

h. Kopi itu rasanya _____, tetapi saya sangat suka.

i. Saya tidak _____ susu, kerana tidak sedap!

j. Buah mangga manis dan _____.

udang	ketupat nasi	makan	susu	gula-gula
sarapan	makanan	suka	manis	sedap

3. Spot and correct the grammar and spelling mistakes note: in several cases a word is missing

a. Biesanya saya makan burger dagging dngan kentang goreng.

b. Saya minum air putih atau juz buah epal.

c. Daging marah makanan tidak sehat, tetapi saya sukanya.

d. Suka saya jus mangga.

e. Sepuluh sekolah saya makan dua roti dengan madu.

f. Saya makan segelas teh dengan susu.

g. Saya suka madu karrana rasanya manis dan sedap.

h.Pada waktu malam ,saya makan nasi dengan sayur-sayuran.

i. Saya suka karena sayur sehat.

j. Ikan kegamaran saya ikan tuna. Sekali enak!

4. Complete the words

a. M_____t_____ *lunch*

b. M_____m_____ *dinner*

c. S_____ *breakfast*

d. P_____ *spicy*

e. S_____ *delicious*

f. M_____ *sweet*

g. S_____ *healthy*

6. Sentence level translation EN - MLY

a. I love fruit juice because it is sweet and refreshing.

b. I don't like salmon because it is disgusting.

c. At tea time I eat a cheese sandwich.

d. I always drink milk with honey. I like it because it's sweet.

e. I like fish, because chicken is not very tasty.

5. Guided writing – write 3 short paragraphs in the first person using the details below

Person	Lunch	Location	With	After *(Kemudian)*
Qistina	Chicken and rice	The kitchen	Brother	Go to the beach
Shafiq	Mi Kari	The dining room	Sister	Read a book
Alyeana	Mi bandung	The garden	Mother	Listen to music

 THE LANGUAGE GYM

Grammar Time 9: Quantities

Apa anda siapkan untuk makan malam? *What are you preparing for dinner?* Apa anda beli di pasaraya? *What did you buy in the supermarket?*				
Saya *I* **Ibu saya** *My mother* **Ibu dan bapa saya** *My parents* **Kakak saya** *My older sibling* **Nenek saya** *My grandma* **Tukang masak** *The chef* **Pembantu rumah** *The housekeeper* **Penjual** *The vendor* **Dia** *He/She*	**makan** *eat/s* **membeli** *buy/s* **menjual** *sell/s* **memasak** *cook/s* **siapkan/menyiapkan** *prepare/s*	**beberapa** *a number of, several* **banyak** *many* **sedikit** *a few*	**ayam panggang** *roast chickens* **bawang merah** *onions* **buncis** *french beans* **ikan** *fish* **keropok udang** *prawn crackers* **lobak merah** *carrots* **nanas** *pineapples* **pisang** *bananas* **telur** *eggs* **udang** *prawns*	**di pasaraya** *at the supermarket* **di kedai buku** *at the shop* **di pasar** *at the market* **setiap hari** *every day* **sekali seminggu** *once a week* **untuk sarapan** *for breakfast* **untuk makan tengahari** *for lunch* **untuk makan malam** *for dinner* **untuk pesta** *for the party*
		dua biji telur *two eggs* **pisang-pisang** *bananas* **tiga biji pisang** *three bananas* **telur-telur** *eggs*		
Jumlah *The total number of*	**lobak merah** *carrots* **pisang** *bananas* **telur** *eggs*	***dalam resepi*** *in the recipe* **untuk sarapan** *for breakfast (is)*		**dua.** *two* **tiga.** *three*

DRILLS

1. Match the translations

a. Dia menjual sedikit ikan.   She eats 2 bananas

b. Saya makan dua biji telur untuk sarapan.   He sells a few fish

c. Tukang masak itu memasak di dapur.   I eat 2 eggs for breakfast

d. Dia makan 2 biji pisang.   That chef cooks in the kitchen

2. Translate into Malay

a. A few eggs: _____

b. Several prawns: _____

c. Many chickens: _____

d. Four onions: _____

e. A few prawn crackers: _____

f. The total number of eggs: _____

g. A number of pineapples: _____

h. A few carrots and onions: _____

3. Match the words

jumlah	some
banyak	amount
pisang-pisang	two bananas
sedikit	many/a lot
dua biji pisang	bananas
beberapa	many/ a lot of bananas
banyak pisang	a few bananas
sedikit pisang	a few/a little

4. Translate into English

a. Sedikit nenas dan dua biji pisang

b. Beberapa ayam bakar dan banyak telur

c. Banyak ikan dan udang

d. Sedikit keropok untuk makan tengahari

e. Banyak lobak merah dan buncis

f. Nenek saya makan pisang setiap hari

g. Dia menyiapkan beberapa telur untuk sarapan

5. Complete with the missing word

a. Dia makan _____ (several) ekor udang

b. Cef menyiapkan_____ (eggs) untuk sarapan

c. Pembantu membeli _____ (a few) biji bawang merah

d. _____ telur di resepi (The total number of)

e. Dia menjual _____ (many) ayam panggang

f. Saya membeli _____ (three bananas) di pasar

g. Nenek memasak _____ (two fish) untuk makan malam.

6. Translate into Malay

a. She buys a few bananas at the shop.

b. The total number of eggs in the recipe is four.

c. My grandmother eats bananas every day and several fish once a week.

d. He sells many prawn crackers at the market every day.

e. The housekeeper buys eggs at the shop and several onions and carrots at the market.

f. My parents eat a lot of fish for lunch every day. However, my brother and I eat only a few eggs.

g. My mother cooked a few roast chickens and many fish for the party.

 **THE LANGUAGE GYM**

Grammar Time 10: The Suffix -NYA

Apakah rasa makanan ini? *Describe the taste of this food?*
Apakah rasanya? *Describe <u>the</u> taste.*

Ayam goreng *fried chicken* **Buah lemon** *a lemon* **Kueh lapis** *layer cake* **Kopi** *coffee* **Kicap manis** *sweet soy sauce* **Nasi goreng** *fried rice* **Nasi lemak** *coconut rice* **Popia** *spring rolls* **Sambal** *chili sauce* **Satay ayam** *chicken skewers*	**Apakah rasanya?** *describe the taste*	**Rasanya** *The taste is*	**enak/ tasty** *tasty* **manis** *sweet* **masam** *sour* **masin** *salty* **pahit** *bitter* **pedas** *spicy* **sedap** *delicious*

Apakah rasa makanan ini? *Describe the taste of the food.*
Wah, enak<u>nya</u> pisang ini! *Wow, <u>how</u> tasty this banana is<u>!</u>*

Aduh *Oh no/oh dear* **Wah** *Wow*	**enak/lazat** *tasty* **manis** *sweet* **masam** *sour* **masin** *salty* **pahit** *bitter* **pedas** *spicy* **sedap** *delicious*	**nya ***	**ayam goreng** *fried chicken* **buah lemon** *a lemon* **kueh lapis** *layer cake* **kopi** *coffee* **kicap manis** *sweet soy sauce* **nasi goreng** *fried rice* **nasi lemak** *coconut rice* **popia** *spring rolls* **sambal** *chili sauce* **satay ayam** *chicken skewers*	**ini!** *this* **itu!** *that*

Ini buku siapa?
Who's book is this ?
Ini buku <u>dia</u>. *This is <u>his/ her/ their</u> book.*
Ini buku<u>nya</u>.

Ini *this is* **Itu** *that is*	**buku teks** *textbook* **buku latihan** *exercise book* **kamus** *dictionary* **pensel** *pencil* **pen** *pen*	**siapa?** *who's*	**Ini** *this is* **Itu** *that is*	**buku teks** *textbook* **buku latihan** *exercise book* **kamus** *dictionary* **pensel** *pencil* **pen** *pen*	**nya ***

Siapa ada binatang peliharaan? *Who has pets?*
Kawan saya anjing<u>nya</u> lima ekor. *(As for my friend his dogs are five.) My friend has five dogs.*

Keluarga kami *our family* **Kawan saya** *my friend* **Keluarga kawan saya** *my friend's family* **Dia** *he/ she/ they* **Jiran saya** *my neighbour*	**anjing** *dog* **arnab** *rabbit* **burung** *bird* **cicak** *lizard* **kucing** *cat* **kuda** *horse*	**nya ***	**satu** *one* **dua** *two* **tiga** *three* **empat** *four* **lima** *five* **banyak** *many*

*Author's note: Remember to attach the suffix -nya to the end of the adjective or noun, e.g. pedas<u>nya</u> how spicy; **buku latihan<u>nya</u>** <u>*his/ her/ their exercise book*</u>

1. Split sentences

Apakah	sedap
Sambal	nasi goreng itu pedas!
Wah sedapnya	rasanya?
Ini kamus siapa? Ini	arnabnya banyak
Kawan saya	mi goreng ini!
Rasanya lazat dan	dan pen birunya
Aduh pedasnya	kamusnya
Ini buku latihan	sambal ini!

2. Rewrite the phrase using -nya

Anjing dia	
Pen kawan dia	
Kamus dia	
Kuda jiran dia	
Arnab dia	
Buku latihan dia	
Binatang peliharaan dia	
Binatang peliharaan keluarga dia	

3. Translate into English

a. Nasi lemak apakah rasanya?

b. Rasanya lazat.

c. Kopi apakah rasanya? Pahit!

d. Wah manisnya kuih lapis ini!

e. Wah lazatnya roti ini!

f. Aduh pedasnya sambal ini!

4. Broken words

a. B_____ r_____ a_____ g_____?
Describe the taste of fried chicken

b. A_____, m_____ l_____ i_____!
Oh dear how sour is this lemon!

c. S___ p___ p___ i___? I___ p___d_____
Who's are these pencils? These are her pencils.

d. K_____ k_____ a_____ b_____ c_____
Our family has many lizards

e. R____ k____ l____ s____ d____ t_____ m_____
The taste of layer cake is tasty but not sweet

5. Complete

a. Sate ayam bagaimana _____
Chicken skewers, describe the taste.

b. _____ lazat *It tastes delicious*

c. Wah _____ nasi lemak! *Wow how tasty is coconut rice!*

d. Ini_____ siapa? Ini _____ *Who's book is this? This is his book.*

e. Keluarganya_____ dua anjing *His family have two dogs.*

6. Translate into Malay

a. Describe the taste

b. These prawns taste delicious

c. This coffee tastes sweet

d. As for my friend she has five rabbits

e. The taste is sour

f. This is her exercise book

g. These are their dictionaries

THE LANGUAGE GYM

Question Skills 2: Jobs/ School bag/ Food

1. Translate into English

a. Di manakah anda makan tengahari?

b. Apa pekerjaan ibu anda?

c. Apa ada dalam beg sekolah anda?

d. Apakah makanan kegemaran anda?

e. Apakah minuman kegemaran anda?

f. Berapa kalikah anda makan daging?

g. Adakah anda suka jus buah-buahan?

h. Kenapa anda tidak suka makan sayur?

i. Adakah anda selalu makan gula-gula?

2. Match the answers below to the questions in activity 1

1. Jus epal ___e___

2. Dia bijak dan sangat kelakar _____

3. Saya ingin menjadi tukang kebun _____

4. Ya. Saya menyukainya. Sangat lazat. _____

5. Kerana saya tidak sukanya. _____

6. Nasi goreng _____

7. Ya. Pada setiap hari. _____

8. Saya makan dua kali seminggu. _____

9. Ada dua buku teks dan buku nota _____

10. Ibu saya adalah seorang polis _____

11. Di kantin sekolah. _____

12. Diri saya _____

3. Provide the questions to the following answers

a. Saya tidak makan daging

b. Saya selalu makan sayur kerana sayur makanan sihat

c. Saya bekerja sebagai anggota bomba

d. Saya suka buah-buahan kerana lazat dan sihat

e. Saya bermain bola sepak di sekolah

f. Saya sering makan makanan laut

g. Saya makan lima jenis buah-buahan setiap hari

h. Saya berasal dari Singapura

i. Saya tidak ada binatang peliharaan

j. Minuman kegemaran saya ialah jus epal

k. Bapa saya bekerja sebagai peguam

l. Dalam kotak pensel saya hanya ada dua pensel

4. Complete

a. A___ a____ b_ d_____ sekolah?

b. Ibu b____ a__ b___ s_____ a___?

c. A___ a____ m_____?

d. Daging a____ k_____ a_____?

e. A_____ j_____b_____ a___ m___?

f. M___ a_____ s_____ m_____ daging?

g. A____ b_____ k_____ anda?

h. B_____ a____ m_____ sarapan?

UNIT 13
Talking about clothes and accessories I wear, how frequently and when

Grammar Time 11: ME- Verbs

Revision Quickie 3: Jobs, food, clothes and numbers 20-100

In this unit you will learn how to:

- Say what clothes you wear in various circumstances and places
- Describe various types of weather
- Give a wide range of words for clothing items and accessories
- Use a range of words for places in town

You will revisit:
- Time markers
- Frequency markers
- Colours
- Self-introduction phrases
- Noun phrase word order

UNIT 13
Talking about clothes

Apabila cuaca panas *When it is hot*			
Apabila cuaca sejuk *When it is cold*		**baju** *top* **baju sejuk** *jumper*	
Apabila saya keluar dengan kawan perempuan/ kawan lelaki *When I go out with my boyfriend/ girlfriend*	**saya memakai** *I wear*	**baju olahraga** *tracksuit* **baju hujan** *raincoat* **baju renang** *swimsuit* **cincin** *ring* **gaun** *dress*	**biru** *blue* **biru tua** *dark blue*
Apabila saya keluar dengan ibu dan bapa *When I go out with my parents*	**saya tidak memakai** *I don't wear*	**jam tangan** *watch* **jaket** *jacket* **kasut** *shoes* **kasut tumit tinggi** *high heeled shoes*	**biru muda** *light blue* **coklat** *brown* **emas** *gold*
Apabila saya keluar dengan kawan-kawan saya *When I go out with my friends*		**kemeja-t** *t-shirt* **kebaya** *woman's trad. clothes* **kemeja** *shirt*	**hitam** *black* **hijau** *green*
Apabila saya ke pejabat *When I go to the office*		**pakaian olahraga** *sports clothes* **pakaian seragam** *uniform* **pakaian santai** *casual clothes*	**jingga** *orange* **kelabu** *grey* **kuning** *yellow*
Apabila saya bermain bola sepak *When I play football*	**dia memakai** *he/ she wears*	**pakaian tradisional** *traditional clothing* **skirt** *skirt* **sandal** *sandals* **sarung** *sarong*	**merah** *red* **merah muda/ merah** **jambu** *pink* **putih** *white*
Biasanya *Usually*		**selendang** *scarf* **selipar** *slippers*	**perak** *silver*
Di rumah *At home*	**dia tidak memakai** *he/ she doesn't wear*	**seluar** *trousers* **seluar denim/ jeans** *jeans*	**ungu** *purple*
Di kelab *At the club*		**seluar pendek** *shorts* **subang** *earrings*	
Di sekolah *at school*		**stokin** *socks* **tali leher** *tie*	
Di gim *at the gym*		**tali pinggang** *belt* **topi** *hat*	
Di pantai *at the beach*		**tudung** *head scarf*	
Jarang *Rarely*			
Selalu *Always*			

Unit 13. Talking about clothes: VOCABULARY BUILDING

1. Match up

Subang	Hat
Kemeja-t	Shoes
Gaun	Pants
Kasut	Shirt
Seluar	T-shirt
Kemeja	Earrings
Topi	Dress

2. Translate into English

a. Saya memakai kemeja-t hitam

b. Saya memakai kemeja kelabu

c. Saya tidak memakai kasut sukan

d. Saya memakai topi bola lisut biru

e. Saya tidak memakai jam tangan

f. Saya tidak pernah memakai subang

g. Saya memakai baju sukan

h. Saya tidak pernah memakai sut

i. Saya selalu memakai sandal

j. Saya tidak pernah memakai topi

k. Abang selalu pakai seluar jeans

3. Complete with the missing word

a. Di rumah saya _____ _____
At home I wear a T-shirt

b. Di sekolah saya memakai _____ _____
At school I wear a black uniform

c. Di gim saya memakai baju sukan _____ jambu
At the gym I wear a pink tracksuit

d. Di pantai saya memakai _____ _____
At the beach I wear a swimsuit

e. Di kelab saya memakai _____ _____
In the club I wear a black dress

f. Saya jarang memakai _____ _____
I rarely wear sports shoes

g. Saya tidak pernah _____ _____
I never wear suits

4. Anagrams clothes and accessories

a. poti

b. juba

c. shebua

d. sesuta ratain

e. saeuts mja

f. sengpasa sugban

g. katsu skanu

h. piakaan bruniforme

i. buaj seolahk

j. ktasu skolahe

k. buaj rnange

l. bjua mlayue

5. Associations – match each body part below with the words in the box

a. kepala *(head)* – e.g. **topi**

b. kaki *(feet)* –

c. kaki *(legs)* -

d. leher *(neck)* –

e. badan bahagian atas *(upper body)* –

f. telinga *(ears)* –

g. pergelangan tangan*(wrist)* –

jam	stokin	kasut	cincin
gelang	baju sukan	rantai	**topi**
subang	jaket	but	kemeja
baju	tali leher	selendang	tali leher

6. Complete

a. Saya memakai_____   *I wear boots*

b. Di r_____   *At home*

c. Saya ada _____   *I have a watch*

d. Saya memakai t___   *I wear a tie*

e. Saya memakai _____   *I wear a blue suit*

f. Adik saya memakai_____
My brother wears a waistcoat

g. Dia selalu memakai_____
She always wears black dresses

THE LANGUAGE GYM

Unit 13. Talking about clothes: READING

Nama saya Conchita. Saya berasal dari Malaysia. Saya berumur lima belas tahun. Saya suka bersukan, jadi saya ada banyak pakaian. Saya lebih suka pakaian berkualiti baik tetapi tidak terlalu mahal. Biasanya saya memakai baju olahraga di rumah. Saya memiliki empat atau lima baju olahraga dengan warna dan gaya yang berbeza. Apabila saya keluar dengan kawan lelaki saya, saya memakai subang, rantai, gaun merah atau hitam dan kasut tumit tinggi.

Nama saya Renaud. Saya berasal dari Perancis dan umur saya tiga belas tahun. Saya suka membeli pakaian, terutamanya kasut. Saya ada banyak kasut berjenama. Apabila cuaca dingin, saya biasanya memakai jaket sukan dan seluar hitam atau ungu. Kadang-kadang saya memakai baju olahraga. Kalau cuaca panas saya memakai baju tanpa lengan, seluar jeans dan kasut. Di rumah, saya punya seekor kuda bernama Napoleon.

Nama saya Gerda. Saya dari German. Saya berumur dua belas tahun. Saya selalu beli baju di butik Zara. Saya suka pakaian yang bagus tetapi tidak terlalu mahal. Saya tidak suka pakaian jenama. Saya sentiasa memakai pakaian sukan seperti baju sukan dan kasut. Apabila sejuk saya memakai jaket sukan dan baju sukan. Apabila cuaca panas saya pakai kemeja-t dan seluar pendek.

Nama saya Miguel. Saya dari Argentina. Saya berumur empat belas tahun. Apabila saya pergi ke sekolah saya memakai baju, seluar dan kasut. Di rumah saya selalunya memakai kemeja-t dan seluar jeans. Saya ada banyak kemeja-T dan seluar jeans di rumah. Apabila saya pergi ke gim saya memakai baju, seluar pendek dan kasut. Apabila saya pergi ke pusat membeli-belah dengan kawan saya memakai jaket, baju, seluar hitam atau kelabu, dan kasut hitam.

1. Find the Malay in Conchita's text

a. I am from

b. Sporty

c. Many clothes

d. Good quality clothes

e. A tracksuit

f. When I go out

g. With my boyfriend

h. Earrings

i. A red or black dress

j. High heel shoes

2. Find the Malay for the following in Miguel's text

a. When I go

b. I wear a shirt

c. T-shirt and jeans

d. At home

e. Gym

f. With my friends

g. A jacket

h. Black trousers

i. Sports shoes

j. Usually

3. Complete the following statements about Renaud

a. He is _____ years old

b. He loves buying _____

c. He has many branded _____

d. When it's cold he wears a _____ __ _____ or _____ _____

e. Sometimes he wears a_____ _____

4. Answer the questions about Gerda (in Malay)

a. Siapa nama dia?

b. Dia berasal dari mana?

c. Berapa umur dia?

d. Dia suka apa?

e. Dia membeli pakaian dari mana?

f. Kalau cuaca dingin, dia memakai apa?

g. Kalau cuaca panas, dia memakai apa?

5. Find Someone Who...

a. ...loves branded clothes

b. ...is from Germany

c. ...wears tank tops in the gym

d. ...wears earrings when she goes out with her boyfriend

e. ...has four or five different tracksuits

f. ...has a lot of T-shirts and jeans at home

g. ...is very sporty

h. ...wears grey or black trousers at the shopping mall

Unit 13. Talking about clothes: WRITING

1. Split sentences

Di	memakai kemeja-t dan seluar pendek
Apabila cuaca	saya memakai seluar hitam
Di pusat sukan saya	sekolah saya memakai baju putih
Apabila cuaca panas saya	sejuk saya memakai baju lengan panjang
Di majlis rasmi saya memakai	baju renang di kolam renang
Kalau saya ke pejabat	memakai baju sukan
Saya memakai gaun	hitam
Kadang-kadang saya memakai	pakaian tradisional

2. Complete with the correct option

a. _____ keluar dengan _____ saya memakai pakaian santai

b. Di sekolah saya _____ baju seragam biru

c. Di gim saya memakai _____ sukan

d. Di pantai saya memakai pakaian _____

e. Kalau _____ panas saya memakai _____

f. Di rumah saya memakai baju _____

g. Kalau cuaca sejuk saya memakai_____

h. Saya _____ pernah memakai sut

baju sejuk	kawan lelaki	olahraga	memakai	kalau
kasut	tidak	cuaca	renang	topi

3. Spot and correct the grammar and spelling mistakes note: in several cases a word is missing

a. Kalau saya keluar ibubapa, saya memakai pakaian cantik

b. Di rumah saya mepakai baju olahraga

c. Saya ada banyak kasut-kasut

d. Adik saya salalu memakai baju kurung

e. Di sekolah saya seragam pakaian

f. Saya tidak suko memakai seluar pendok

g. Kalau saya pergi ke pasaraya, saya biasanya memakai santai, iaitu seluar pendek dan kemeja-t.

h. Saya selalu memakai kasuit

4. Complete the words

a. S_____ *skirt*

b. T_____ *tie*

c. S_____ *earrings*

d. S_____ *trousers*

e. K_____ *shoes*

f. S_____ *scarf*

g. P_____ *tracksuit*

6. Describe this person in Malay using the 3rd person

Name: Azfar

Lives in: Penang

Age : 30

Pet: A black spider

Hair: Blond

Eyes: Green

Always wears: A suit

Never wears: Jeans

At the gym wears: An Adidas tracksuit

5. Guided writing – write 3 short paragraphs in the first person I using the details below

Person	Lives	Always wears	Never wears	Hates
Rahima	Selangor	Black dresses	Trousers	Earrings
Sham	Kedah	White T-shirts	Coats	Watches
Suriyati	Pulau Pinang	Jeans	Shorts	Skirt

Grammar Time 11: Verbs

The prefix men- is used when the root word starts with the letter c, d, j or t.
The prefix me- is used when the root word starts with the letter l, m, n or r.

Saya *I (formal)*		baju olahraga *tracksuit*	**biru** *blue*
		baju renang *swimsuit*	
Aku *I (informal)*	**memakai** *wear*	baju hujan *raincoat*	**biru tua** *dark blue*
		cincin *ring*	**biru muda** *light blue*
Anda *you (form)*	**membeli** *buys*	jam tangan *watch*	
		jaket *jacket*	**coklat** *brown*
Kamu *you (inf)*	**membuat** *makes*	kemeja-t *t-shirt*	**emas** *gold*
		kasut *shoes*	
Dia *s/he*	**memiliki** *own/have*	kasut tumit tinggi *high heeled shoes*	**hodoh** *ugly*
			hitam *black*
Kita *we (inc. listener)*		kebaya *woman's trad. clothes*	**hijau** *green*
	memperbaiki *repairs*	kemeja *shirt*	**jingga** *orange*
		pakaian olahraga *sports clothes*	**jambu** *pink*
Kami *we (ex. listener)*		pakaian santai *casual clothes*	**kelabu** *grey*
	mencuci *washes*	pakaian tradisional *traditional clothing*	**kuning** *yellow*
		pakaian seragam *uniform*	**mahal** *expensive*
Anda semua *you all*		skirt *skirt*	**murah** *cheap*
	menjahit *sews*	sandal *sandals*	
		sarung *sarong*	**merah** *red*
Mereka *they*	**menjual** *sells*	selendang *scarf*	**merah muda/merah**
		selipar *slippers*	**perak** *silver*
		seluar *trousers*	
		seluar denim/jeans *jeans*	**putih** *white*
		seluar pendek *shorts*	**ungu** *purple*
		subang *earrings*	
		stokin *socks*	**warna-warni** *colourful*
		tali leher *tie*	
		tali pinggang *belt*	
		topi *hat*	

DRILLS

1. Complete with the missing pronoun according to the word in the bracket.

a. _____ tidak pernah memakai topi (I)

b. _____ memakai baju apa? (you, informal)

c. Adik _____ ada banyak baju sukan (my)

d. Ibu _____ memakai baju kurung (her)

e. Guru seni ___ memakai pakaian cantik (his)

f. _____ memakai selendang merah (They) incl)

g. Di sekolah _ memakai baju seragam (we, excl.)

h. _____ ada banyak baju hitam (He)

i. _____ memakai pakaian apa? (you all)

j. Ibu _____ ada banyak pakaian (my)

k. _____ selalu memakai gaun merah (She)

l. Apabila cuaca hujan _ memakai baju sejuk (we)

2. Complete with the missing verbs

a. Ibu saya_____ banyak pakaian berjenama — *My mother has a lot of branded clothes*

b. Abang saya juga _____ kemeja-t — *My brothers also wear T-shirts*

c. Biasanya kakak _____ jeans — *My sister usually wears jeans*

d. Guru-guru saya selalu _____ sut — *My teachers always wear suits*

e. Kawan perempuan saya _____ banyak subang — *My girlfriend has many earrings*

f. Kita _____ kemeja-t hitam — *We have a black T-shirt*

g. Ibubapa saya _____ banyak pakaian sukan — *My parents wear a lot of sporty clothes*

h. Sepupu saya tidak _____ banyak pakaian — *My cousins don't have many clothes*

3. Write the base word of these prefix 'me'- verbs

membeli	
memakai	
mencuci	
menjual	
membuat	
menjahit	
memiliki	
memperbaiki	

4. Match the Malay phrases to English

memiliki kasut berjenama	selling rings
menjual cincin	owns branded shoes
menjahit baju biru	buying stylish jeans
membeli seluar jeans bergaya	sewing blue clothes
memakai tali leher	fixing necklace
memperbaiki rantai	wearing necktie
mencuci skirt merah	making clothes
membuat pakaian	washing red skirt

5. Translate into English

a. Saya tidak pernah membuat subang

b. Saya sentiasa mencuci seluar jeans saya

c. Kami tidak membeli pakaian berjenama

d. Dia mempunyai banyak kasut

e. Mereka menjual banyak kasut berjenama

f. Mereka sentiasa memakai kasut

g. Kamu membuat baju baharu itu?

h. Di pusat membeli-belah itu ada kedai yang memperbaiki pakaian

6. Translate into Malay

a. Do you make hats?

b. We have many shoes

c. I don't own a beautiful dress

d. My father sells suits and ties

e. My mother sews dresses

f. I always wash my clothes

g. What clothes do you wear generally?

h. They never buy uniforms

i. She wore a red tracksuit

j. She sews beautiful clothes

THE LANGUAGE GYM

Revision Quickie 3: Jobs, food, clothes and numbers 20-100

1. Complete (numbers)

a. 100 se

b. 90 se

c. 30 ti

d. 50 li

e. 80 la

f. 60 en

g. 40 em

2. Translate into English (food and clothes)

a. baju renang

b. minuman

c. ayam goreng

d. jaket

e. nasi goreng

f. air

g. daging

h. udang

i. ikan

j. selendang

k. kasut

l. sayur-sayuran

m. jus

n. makan malam

3. Write in a word for each letter in the categories below as shown in the example *(there is no obvious word for the greyed out box!)*

Abjad	Pakaian	Makanan dan Minuman	Angka	Pekerjaan
T	topi	teh	tujuh	tukang masak
S				
P				

4. Match

memakai	to drink
saya ada	breakfast
makan malam	to live in
saya memiliki	to work
minum	I have
sarapan	dinner
bekerja	I eat
tidak ada	my name is
tinggal di	I own
saya makan	to wear
nama saya	do not have

5. Translate into English

a. Saya tidak suka memakai tali leher

b. Saya selalu makan roti bakar dengan madu

c. Saya bekerja sebagai kerani bank

d. Saya selalu minum kopi

e. Saya tidak minum minuman ringan

f. Saya selalu makan roti canai untuk sarapan pagi

g. Ibu saya seorang ahli perniagaan

h. Saya tidak ada banyak pakaian sukan

i. Saya tidak makan banyak ikan dan sayur

 THE LANGUAGE GYM

UNIT 14
Saying what I and others do in our free time

Grammar Time 12: Adverbs of Frequency (Part 2) & BER- Verbs (Part 3)

In this unit you will learn how to say:

- What activities you do using the verbs 'bermain' (play), 'melakukan' (do) and 'pergi' (go)
- Other free time activities

You will revisit:
- Time and frequency markers
- Weather
- Expressing likes/dislikes
- Adjectives and pronouns
- Pets

UNIT 14
Saying what I (and others) do in our free time

Saya selalu *I always* **Saya jarang** *I rarely* **Saya belum/tidak pernah** *I have never (yet)* **Kadang-kadang saya** *Sometimes I* **Dari semasa ke semasa** *From time to time* **Sendiri saja, saya** *Alone, I* **Apabila cuaca buruk saya** *When the weather is bad I*	**bermain** *play*	**bola keranjang** *basketball* **bola sepak** *football* **catur** *chess* **dengan kawan saya** *with my friends* **kad** *cards* **komputer** *the computer* **tenis** *tennis*
	angkat berat *weight lifting* **berjalan-jalan** *walking* **berbasikal** *cycling* **bersukan** *sport* **berjoging** *jogging* **berenang** *swimming* **luncur air** *water skiing* **menunggang kuda** *horse riding* **mendaki bukit** *rock climbing* **mendaki** *climbing* **memancing** *fishing*	
Apabila cuaca baik saya *When the weather is good I* **Dua kali seminggu saya** *Twice a week I* **Setiap hari saya** *Every day I* **Apabila ada masa lapang saya** *When I have free time I*	**membuat** *do, carry out*	**kerja rumah** *homework*
	pergi ke *go to*	**gim** *the gym* **gunung** *the mountain* **kolam renang** *the pool* **pantai** *the beach* **majlis** *a party* **pusat membeli-belah** *the mall* **pawagam** *the cinema* **rumah kawan saya** *my friend's house* **taman** *the park*

Author's note: * * The phrase **"melakukan"** (to do) should be followed either by **"aktiviti"** (do the activity) or the appropriate verb. For example, you can either say, **Saya melakukan aktiviti berenang** (I do 'the activity of' swimming) or just **"Saya berenang"** (I swim).

Unit 14. Free time: VOCABULARY BUILDING – Part 1 Weather

1. Match up

Saya bermain catur	I go horse-riding
Saya berjoging	I play chess
Saya menunggang kuda	I play basketball
Saya bermain kad	I go hiking
Saya berbasikal	I go swimming
saya pergi berenang	I go biking
Saya pergi mendaki	I go jogging
saya bermain bola keranjang	I play cards

2. Complete with the missing word

a. Saya bermain _____   *I play chess*

b. Saya _____   *I go horse riding*

c. Saya _____ kad   *I play cards*

d. Saya _____   *I go cycling*

e. Saya bermain_____   *I play basketball*

f. Saya _____   *I go fishing*

g. Saya _____   *I go hiking*

h. Saya _____   *I go rock climbing*

i. Saya _____   *I go jogging*

j. Saya tidak membuat _____   *I don't do homework*

berjoging	bermain	bola keranjang	memancing	kerja rumah
menunggang kuda	berbasikal	mendaki bukit	berjalan kaki	catur

3. Translate into English

a. Saya berbasikal setiap hari

b. Saya sering bersiar-siar

c. Dua kali seminggu saya mendaki bukit

d. Saya tidak pernah menunggang kuda

e. Apabila cuaca buruk saya bermain kad atau catur

f. Saya selalu bermain bola keranjang

g. Saya jarang pergi ke pesta

h. Saya selalu pergi ke rumah kawan saya

i. Saya pergi ke pantai setiap hari

j. Seminggu sekali saya memancing

k. Apabila cuaca baik saya bermain golf

4. Broken words

a. Saya pergi m_____   *I go horse-riding*

b. Saya pergi be_____   *I go swimming*

c. Saya pergi me_____   *I go fishing*

d. Saya ber_____   *I go biking*

e. Saya bermain c_____   *I play chess*

f. Saya pergi ke p_____   *I go to the cinema*

g. Saya bermain k_____   *I play cards*

h. Saya m_____   *I do mountain climbing*

5. 'Belum' , 'Pernah' or 'Tidak pernah'?

a. _____ mendaki bukit

b. _____ berbasikal

c. _____ bermain catur

d. _____ bermain kad

e. _____ berenang

f. _____ menunggang kuda

g. _____ bermain tenis

h. _____ angkat berat

i. _____ bermain bola keranjang

6. Bad translation – spot any translation errors and fix them

a. Saya jarang pergi ke pusat membeli-belah: *I often go to the mall*

b. Saya selalu bermain kad: *I play chess often*

c. Saya jarang mendaki: *I go swimming rarely*

d. Apabila cuaca baik saya berjoging: *When the weather is nice I go hiking*

e. Sekali seminggu saya berbasikal: *I go biking every day*

f. Saya jarang bermain catur: *I never play chess*

g. Saya selalu bersiar-siar: *I never go hiking*

h. Saya selalu berenang: *I go swimming from time to time*

THE LANGUAGE GYM

Unit 14. Free time: READING

Nama saya Thomas. Saya berasal dari Kedah. Pada masa lapang, saya suka bersukan. Sukan kegemaran saya adalah mendaki bukit. Saya mendaki setiap hari. Apabila cuaca buruk saya tinggal di rumah dan saya bermain catur atau kad. Saya juga sangat suka bermain permainan video Playstation.

Nama saya Razak. Saya berasal dari Perancis. Saya suka menunggang basikal. Saya menunggang basikal pada setiap hari dengan kawan-kawan saya. Ini sukan kegemaran saya. Kadang-kadang saya pergi memanjat bukit dan berjoging. Saya tidak suka bermain tenis, bola sepak dan berenang. Saya jarang berenang. Dua kali seminggu saya akan pergi ke kelab dengan kawan saya, Julien. Saya suka menari.

Nama saya Velinda. Saya berasal dari Kedah. Saya tinggal di Langkawi. Saya berambut merah, baik dan kelakar, tetapi saya sangat tegas. Saya suka membaca buku, bermain permainan video, catur dan mendengar muzik. Apabila cuaca baik, saya akan pergi berjoging di taman kanak-kanak di kawasan perumahan saya atau bermain tenis dengan abang saya. Saya tidak suka pergi ke gim atau kolam renang. Saya tidak suka berenang kerana saya tidak suka air.

1. Find the Malay for the following in Thomas' text

a. I do a lot of sport

b. My favourite sport

c. Climbing

d. Every day

e. When the weather's bad

f. I play chess

g. Also

h. I play on the Playstation

2. Find the Malay in Razak's text for

a. I love biking

b. with my friends

c. sometimes

d. I do swimming

e. I go clubbing

f. I go mountain climbing

g. with my friend, Julien

Nama saya Dawood. Saya berasal dari Taiping, Perak. Pada masa lapang, saya suka membaca buku dan surat khabar. Saya juga suka bermain kad dan catur. Saya tidak suka bersukan. Kadang-kadang saya pergi ke gim dan angkat berat. Pada hujung minggu, apabila cuaca baik, saya pergi mendaki di kawasan luar bandar dengan monyet saya. Tuah ialah seekor monyet yang manja dan dia bertubuh kecil dan berwarna perang.

3. Complete the following statements about Velinda

a. She is from _____

b. She is not very _____

c. She plays video games and _____

d. When the weather is nice she goes _____

e. She also plays tennis with her_____

f. She doesn't enjoy the gym nor the _____

4. List 8 details about Dawood

1.

2.

3.

4.

5.

6.

7.

8.

5. Find Someone Who...

a. ...enjoys reading newspapers

b. ...hates swimming

c. ...does a lot of sport

d. ...does weight lifting

e. ...goes clubbing twice a week

Unit 14. Free time: TRANSLATION

1. Gapped translation

a. **Saya pergi ke majlis:** I _____ parties

b. **Saya sering bermain Playstation:** I often _____ Playstation

c. **Saya tidak pernah bermain tenis:** I _____ play tennis

d. **Saya bermain catur:** I _____ chess

e. **Saya bermain kad:** I _____ cards

f. **Kadang-kadang saya berbasikal:** _____, I go cycling

g. **Saya tidak pernah angkat berat:** I never do _____

h. **Apabila cuaca baik saya berjoging:** When the _____ is nice, I go jogging

2. Translate to English

a. Jarang-jarang

b. Kadang-kadang

c. Apabila cuaca buruk

d. Ke rumah kawan saya

e. Tidak pernah

f. Setiap hari

g. Saya mendaki

h. Saya akan pergi

i. Saya akan pergi memancing

3. Translate into English

a. Saya tidak pernah pergi memancing dengan ayah saya

b. Saya bermain kad dengan abang saya

c. Saya pergi mendaki bukit dengan ibu saya

d. Saya bermain catur dengan kawan baik saya

e. Saya tidak pernah bermain dengan abang saya

f. Saya pergi ke kelab pada setiap hari Sabtu

4. Translate into Malay

a. *Bike*: B

b. *Rock climbing*: M

c. *Basketball*: B

d. *Fishing*: M

e. *Weights*: B

f. *Videogames*: P

g. *Chess*: C

h. *Cards*: K

i. *Hiking*: M

j. *Jogging*: J

5. Translate into Malay

a. I 'do' jogging

b. I play chess

c. I 'do' rock climbing

d. I 'do' swimming

e. I 'do' horse riding

f. I do weights

g. I go clubbing

h. I play videogames

i. I 'do' cycling

j. I 'do' hiking

Unit 14. Free time: WRITING

1. Split sentences

Saya tidak	taman
Saya bermain catur	aktiviti sukan
Saya bermain luncur air setiap	mendaki bukit
Saya berjoging di	komputer
Saya bermain	berbasikal
Saya melakukan banyak	dengan kawan saya Joni
Saya pernah	gim
Saya melakukan angkat berat di	minggu

2. Complete the sentences

a. Saya _____ pernah berjoging

b. Kadang-kadang saya _____ catur

c. Saya mendaki dari _____ hingga petang

d. _____ selalu menunggang kuda

e. Saya bermain tenis _____ gelanggang

f. Saya pergi ___ pawagam dengan kawan saya

g. Pada _____ lapang

h. Saya melakukan _____ di gim

i. Saya _____ kerja rumah

3. Spot and correct mistakes
(note: in some cases a word is missing)

a. Saya bermain tennis:

b. Saya bemain catur:

c. Saya pergi rumah teman saya:

d. Saya tidak pernah berbasiakal:

e. Saya mengerjakan pekerjaan ramah saya:

f. Saya berrenang:

g. Saya melakukan angkar berat:

4. Complete the words

a Bo____ se_____

b. Bo____ k_____

c. Bers_____

d. Video_____

e. Beren_____

f. Bo_____ li_____

g. Menungg_____ k_____

5. Write a paragraph for each of the people below in the first person singular (I):

Name	Sport I do	How often	Who with	Where	Why I like it
Kumari	Hiking	Every day	With my boyfriend	In the countryside	It's fun
Sophei	Weight-lifting	Often	With my friend James	At home	It's healthy
Saiful	Jogging	When the weather is nice	Alone	In the park	It's relaxing

Grammar Time 12: Adverbs of Frequency (Part 2) & BER- Verbs (Part 3)

Saya *I (formal)* **Aku** *I (informal)* **Anda** *you (form)* **Kamu/Awak** *you (inf)* **Dia** *s/he* **Kita** *we (inc. listener)* **Kami** *we (ex. listener)* **Anda semua** *you all* **Mereka** *they*	**selalu** *always*	**bermain** *play, plays*	**bola keranjang** *basketball* **bola sepak** *football* **catur** *chess* **kad** *cards* **tenis** *tennis* **dengan kawan** **bersama kawan** *with my friends*
		melakukan *does*	**angkat berat** *weights*
	kadang-kadang *sometimes*	**berbasikal** go *cycling* **bersukan** play *sport* **berjoging** go *jogging* **berenang** go *swimming* **menunggang kuda** go *horse riding* **mendaki bukit** go *rock climbing*	
	belum/ tidak pernah *not ever (not yet)*	**membuat** *do, carry out*	**kerja rumah** *homework*
	jarang *rarely*	**pergi ke** *goes to*	**gim** *the gym* **gunung** *the mountain* **kolam renang** *the pool* **majlis** *a party* **pantai** *the beach* **rumah kawan saya** *my friend's house* **taman** *the park*

Author's note: *To express frequency of an activity you can use the following phrases at the beginning or end of the sentence:-*

- **dua kali seminggu** *twice a week*   **sebulan sekali** *once a month*
- **setiap hari** *every day*

1. Match

Saya	He/ she
Anda	We
Dia	You
Kita	I
Anda semua	They
Mereka	You all

2. Match the phrases

kadang-kadang bermain	always do
jarang pergi ke	haven't cycle yet
selalu membuat	often go to
belum berbasikal	never ridden a horse
berenang setiap hari	sometimes plays
sering pergi ke	swims everyday
tidak pernah menunggang kuda	rarely go to
selalu berenang	always swim

3. Translate

a. I often play:

b. You never go:

c. She sometimes does:

d. We often play:

e. You all go to:

f. They rarely do:

g. My brothers never play:

h. You and I sometimes go to:

i. He rarely goes to:

4. Complete with the verb PERGI or BERMAIN

a. Saya _____ bola jaring

b. Dia_____ olahraga setiap hari

c. Saya sering _____ ke kolam renang

d. Saya jarang_____ kad

e. Saya _____ ke pasaraya sekali seminggu

f. Setiap hari mereka_____ ke gim

g. Dia sering_____ ke rumah kawan saya

h. Mereka tidak pernah_____ bola sepak

i. Saya_____ ke stadium dengan ayah

5. Spot and correct the English translation errors

a. Saya memancing *You go fishing*

b. Anda pergi ke gereja *You go to the garage*

c. Saya pergi ke pusat membeli-belah
You guys go to the shopping mall

d. Saya tidak pernah pergi ke rumah Marta
We never go to Marta's house

e. Mereka pergi ke pawagam seminggu sekali
She goes to the cinema once a week

6. Complete with the correct pronoun

a. _____ memancing   *I go fishing*

b. _____ pergi ke taman   *They go to the park*

c. _____ pergi ke pantai   *We (incl.)go to the beach*

d. _____ ke kolam renang   *They go to the pool*

e. _____mahu pergi ke mana? *Where are you going?*

7. Complete

a. Kita _____ kolam renang   *always go to*

b. Saya dan ibu _____ catur   *sometimes play*

c. Mereka _____   *rarely go jogging*

d. Kakak saya bermain tenis _____   *twice a week*

e. Dia _____ bola tampar   *never plays*

f. Kawan saya bermain Playstation____   *every day*

g. Saya _____ kerja di rumah   *sometimes do*

h. Apabila cuaca baik dia __ di pantai   *always swims*

8. Complete with a BER- verb

a. Saya selalu ____ bola sepak   *plays*

b. Dia sering _____ di pantai   *swims*

c. Kami selalu _____   *play sport*

d. Saya pergi ke pasaraya _____ kawan saya   *with*

e. Kakak saya ____ke kota   *cycles*

f. Kami jarang _____ kad   *play*

g. Kami sering _____ ke sekolah   *walk*

h. Saya belum pernah ____   *ridden a horse*

i. Bapa saya selalu _____ ke pesta   *drives*

j. Saya jarang _____   *go jogging*

k. Dia sering _____ membeli-belah *goes*

l. Kami selalu _____   *go to school*

m. Adik dan saya _____ seminggu sekali *play chess*

9. Translate into English

a. Saya belum pernah bermain bola sepak

b. Saya selalu membuat kerja rumah

c. Kami tidak pernah pergi ke pantai

d. Mereka tidak pernah pergi ke kolam renang

e. Apabila cuaca baik mereka akan pergi ke taman

f. Saya tidak pernah bermain catur

g. Apabila cuaca buruk saya pergi ke pusat sukan

10. Translate into Malay

a. We never go to the swimming pool

b. They do sport rarely

c. She plays basketball every day

d. When the weather is nice, I do jogging

e. I rarely do cycling

f. I do rock climbing often

g. My father and I often play badminton

h. My sister plays tennis twice a week

i. I go to the swimming pool on Saturdays

j. When the weather is bad I go to the gym

k. They rarely do their homework

l. We never play chess

UNIT 15
Talking about weather and free time

Grammar Time 13: YANG - *the one* or *which*

Revision Quickie 4: Clothes/ Free Time/ Weather

Question Skills 3: Clothes/ Free Time/ Weather

In this unit you will learn how to say:
- What free-time activities you do in different types of Weather
- Where you do them **and** with who
- Words for places in town

You will also learn how to ask and answer questions about:
- Clothes
- Free time
- Weather

You will revisit:
- Sports and hobbies
- Pets
- Places in town
- Clothes
- Family members
- Numbers from 1 to 100

THE LANGUAGE GYM

Unit 15
Talking about weather and free time

Apabila saya ada masa lapang *When I have free time* **Apabila langit cerah** *When the sky is clear* **Apabila langit mendung** *When the sky is cloudy* **Apabila cuaca baik** *When the weather is good* **Apabila cuaca buruk** *When the weather is bad* **Apabila panas** *When it is hot* **Apabila sejuk** *When it is cold* **Apabila cerah** *When it is sunny* **Apabila berangin** *When it is windy* **Apabila berkabus** *When it is foggy* **Apabila ribut** *When there are storms* **Apabila hujan** *When it rains* **Apabila salji** *When it snows* **Kadang-kadang** *Sometimes* **Pada hari minggu** *On weekdays* **Pada hujung minggu** *At the weekends*	**saya bermain** *I play* **saya dan Maria bermain** *my friend Maria plays*	**bola keranjang** *basketball* **bola sepak** *football* **catur** *chess* **kad** *cards* **tenis** *tennis* **dengan kawan saya** *with my friends* **dengan kawan-kawannya** *with his/her friends*
	saya *I (do)* **kawan saya Lino** *my friend Lino (does)*	**berbasikal** *cycling* **berenang** *swimming* **bersukan** *sport* **berjoging** *jogging* **luncur** *skiing* **melakukan kerja rumah** *homework* **menunggang kuda** *horse riding* **mendaki** *hiking* **mendaki bukit** *rock climbing*
	saya pergi *I go* **kawan saya pergi** *my friend goes*	**ke gim** *to the gym* **ke gunung** *to the mountain* **ke kolam renang** *to the pool* **ke luar bandar** *to the countryside* **ke pusat membeli-belah** *to the mall* **ke pantai** *to the beach* **ke pusat sukan** *the sports centre* **kelab** *club* **ke rumah kawan saya** *to my friend's house* **ke rumah kawannya** *to his/ her friend's house* **ke taman** *to the park* **memancing** *fishing* **menunggang basikal** *on a bike ride*
	saya tinggal *I stay*	**di dalam bilik** *in my room* **di rumah** *in my home*
	Faizal Mariam **tinggal** *stays*	

Author's note: When using the phrase '*pergi ke*', the '*pergi*' can be omitted and is understood: for example, *Dia pergi ke pasaraya/ Dia ke pasaraya*

 **THE LANGUAGE GYM**

Unit 15. Talking about weather and free time VOCABULARY BUILDING 1

1. Match up

Cuaca buruk	It's cold
Hujan	It's hot
Cuaca baik	It's clear skies
Apabila	When
Langit cerah	It's good weather
Panas	It's raining
Sejuk	It's bad weather

2. Translate into English

a. Apabila cuaca berangin

b Apabila cuaca hujan

c. Apabila cuaca cerah

d. Apabila cuaca panas

e. Apabila ada hujan

f. Apabila cuaca baik

g. Apabila cuaca berkabus

h. Saya bermain tenis

i. Saya meluncur salji

j. Apabila cuaca buruk

3. Complete with the missing word

a. Apabila _____ buruk *When it's bad weather*

b. Apabila h_____ dan sejuk *When it rains and is cold*

c. Apabila cuaca cerah dan _____ *When it is sunny and hot*

d. Apabila ribut saya _____di rumah *When it is stormy I stay at home*

e. Apabila cuaca baik saya pergi ke _____ *When it's good weather I go to the park*

f. Apabila salji turun saya _____ ski di atas gunung *When it snows I ski on the mountain*

g. Apabila cuaca buruk _____ saya tinggal di rumah *When the weather is bad my friend stays at home*

h. Saya suka a_____ ia cerah *I like it when it's sunny*

4. Anagrams: weather

a. kujes	e. sanap	i. subak
b. abah	f. acaua	j. ginnaber
c. ijlsa	g. harec	k. butir
d. juahn	h. nigna	l. dungnem

5. Associations – match each weather word below with the clothes/activities in the box

a. Cuaca buruk: ribut, angin, hujan –

b. Cuaca baik: matahari dan panas–

c. Salji turun dan sejuk –

kasut but	tinggal di rumah	luncur salji	bermain ski
berenang	Seluar pendek	menonton televisyen	topi
baju sejuk	bersiar-siar	kemeja-t	baju renang

6. Complete

a. Cuaca _____ *It's good weather*

b. Saya tinggal di_____ *I stay at home*

c. Apabila _____ *When it rains*

d. Saya _____ cuaca panas *I like it when it's hot*

e. Saya_____ ke pantai *I go to the beach*

f. Apabila ada _____ *When there are storms*

g. Apabila langit _____ *When the skies are clear*

h. Apabila cuaca _____ *When it is cloudy*

Unit 15. Talking about weather and free time: VOCABULARY BUILDING 2

1. Match up

Bermain tenis	I'm going to a party
Bermain kad	In her bedroom
Saya menunggang kuda	He's fishing
Saya pergi ke pesta	Play tennis
Dia memancing	I ride a horse
Di bilik tidurnya	Playing cards
Tinggal di rumah	Swim
Berenang	Stay at home

2. Complete with the missing word

a. Saya tinggal ____ bilik tidur saya *I stay in my bedroom*

b. Kawan saya pergi __ pantai *My friend goes to the beach*

c. Saya _____ ke rumah _____ *I go to my friend's house*

d. Saya ke pusat _____ *I go to the sports centre*

e. Saya_____membuat kerja rumah pada hari kerja
I always do my homework on weekdays

f. Saya suka _____ *I like the weekends*

g. Saya bermain dengan _____saya *I play with my friends*

h. Kawan saya Iva selalu _____ _____ kawannya
My friend Iva always goes to her friend's house

i. Saya selalu _____ *I always do hiking*

3. Translate into English

a. Rumah kawan saya

b. Saya berenang

c. Langit cerah

d. Saya mendaki bukit

e. Dia berjalan-jalan

f. Pergi ke pusat sukan

g. Pergi ke kolam renang

h. Saya bersukan raga

4. Anagrams: activities

a. gojnig

b. nangreeb

c. dakimen

d. gangnungem daku

e. mainber

f. curlunme

g. gangnungem kalsiba

h. arimen

i. nyinyaem

j. tonnonme

k. cingmanme

l. kansuber

5. Broken words

a. S___ b___ b___ s___ dengan k___-k___ saya *I play football with my friends*

b. Ibu s___ sa___ M___ ber___ k___ *My aunt Maria plays cards*

c. S___ p___ k___ r___ k___ s___ *I go to my friend's house*

d J___ p___ k___ p___ s___ *Joaquín goes to the sports centre*

e. S___m___ k___ *I do horse riding*

f. K___ s___ t___d___ r___ d___ m___ k___ r___ *My friend stays at home and does homework*

6. Complete

a. Saya ____ kerja rumah *I do homework*

b. Dia _____ di rumah *He stays at home*

c. Dia _____ *He does swimming*

d. Dia _____ ke gim *I go to the gym*

e. ____ pergi ke kolam renang *I go to the pool*

f. Dia tinggal _____ *I stay home*

g. Dia _____ *I do climbing*

h. Dia bermain _____ *I do skiing in the mountain*

i. Di dalam _____ *in my room*

Unit 15. Talking about weather and free time: READING

Nama saya Peter. Saya dari Itali. Umur saya sebelas tahun. Saya sangat atletik, jadi saya suka apabila cuaca baik. Apabila cuaca cerah saya selalu pergi ke taman bersama rakan-rakan saya dan bermain bola sepak. Selain itu, apabila cuaca panas saya selalu pergi ke pantai dengan anjing saya. Ia kecil, hitam, dan sangat bagus. Saya memakai baju renang, sandal dan topi apabila saya pergi ke pantai.

Nama saya Isabella. Saya dari Rom, Itali. Saya berumur lima belas. Saya suka membeli-belah kemeja-t dan jaket. Saya suka apabila ada ribut. Saya tinggal di rumah dengan abang saya dan bermain permainan video atau kad dengannya. Dia sangat baik dan lucu. Saya tidak suka cuaca sejuk kerana saya tidak suka memakai kot dan selendang. Di rumah saya mempunyai seekor anjing, kucing dan burung kakak tua yang pandai bercakap bahasa Itali!

Nama saya Anna Laura. Saya dari Brazil. Saya berumur dua belas tahun. Saya suka menyanyi pada masa lapang. Apabila sejuk saya pergi ke pusat membeli-belah dengan rakan-rakan saya. Saya memakai kot, selendang dan but. Saya suka sejuk! Filem kegemaran saya ialah Frozen 2. Apabila panas saya tinggal di rumah kerana saya tidak menyukainya. Saya tidak pernah pergi ke pantai. Saya benci pantai!

Nama saya Chloe. Saya dari Perancis. Saya berumur empat belas tahun. Apabila cuaca panas dan cerah saya pergi ke kolam renang dan berenang. Saya juga pergi memancing dengan ayah saya di atas botnya. Ia agak membosankan tetapi saya suka. Pada waktu malam, saya keluar dengan kawan-kawan saya. Apabila saya pergi ke kelab saya biasanya memakai kemeja-t dan seluar jeans. Nama kawan saya ialah Sofia. Dia baik dan bijak. Apabila cuaca buruk dan hujan, dia sentiasa tinggal di rumah dan membuat kerja rumah.

1. Find the Malay for the following in Peter's text

a. I am from

b. I am 11

c. I like it

d. when

e. it is sunny

f. I go to the park

g. with my dog

h. small and black

i. a swimsuit

j. the beach

2. Find the Malay for the following in Chloe's text

a. when it's hot

b. it's sunny

c. I swim

d. I go fishing

e. a bit boring

f. I go to the club

g. a t-shirt

h. is called

i. stays

j. in her house

3. Complete the following statements about Isabela

a. She is _____ years old

b. She loves buying _____ and _____

c. She loves it when there are _____

d. When it's stormy she plays _____ or _____ with her _____ brother

e. Isabela does not like _____ weather

f. Her pet can _____ Italian

4. Answer in Malay the questions below about Anna Laura

a. Dia berasal dari mana?

b. Berapa umurnya?

c. Dia buat apa pada masa lapang?

d. Dia suka cuaca apa?

e. Dia melakukan apa apabila cuaca panas?

f. Adakah dia suka cuaca panas?

g. Apa filem kesukaan Anna?

5. Find Someone Who...

a. ...likes to go fishing

b. ...is from france

c. ...loves really cold weather

d. ...has three pets at home

e. ...thinks that storms are pretty

f. ...wears jeans to go out

g. ...goes to the beach with an animal

h. ...never goes to the beach

i. ...owns a boat

Unit 15. Talking about weather and free time: WRITING

1. Match up

Saya suka cuaca	saya pergi ke pantai
Saya tidak	baju sejuk
Apabila cuaca panas	panas
Apabila cuaca sejuk saya pakai	suka hujan
Ribut	saya pergi meluncur
Apabila cuaca buruk	saya tinggal di rumah
Apabila cuaca baik	sangat bahaya
Apabila ada salji	saya pergi ke taman

2. Complete with the correct option

a. _____ cuaca sejuk saya memakai kot dan selendang. Saya tidak _____

b. Pada_____ minggu saya membuat kerja rumah.

c. Apabila _____ buruk saya _____ di rumah.

d. Apabila cuaca _____ saya tidak pergi ke _____

e. Apabila cuaca _____ saya pergi ke pantai.

f. Apabila cuaca _____ saya mendaki bukit.

g. Apabila cuaca buruk kawan saya Heli tinggal di rumah_____ .

Apabila	cuaca	tinggal	gunung	cerah
suka	hujung	hujan	baik	nya

3. Spot and correct the grammar and spelling mistakes note: in several cases a word is missing

a. Apabila cuaca cerah saya bergi ke gim dengan kawan saya

b. Apabila cuaca ponas kawan saya Joni bermain tennis

c. Saya suka pantai keraena sangat indah

d. Apabila cuaca buruk kawan saya tinggal romah

e. Apabila cuaca hujan saya tidak bemain bola sepak

f. Pado waktu petang saya pergi pantai dengan kucing saya

g. Apabila cuaca cherah saya pergi ke bandar dan pakai kemeja-t

h. Selalu saya tidak memakai kasut semasa saya bermain bola sepak

4. Complete the words

a. S_____	*cold*
b. P_____	*hot*
c. M_____	*cloudy*
d. A_____	*when*
e. R_____	*storms*
f. A_____	*wind*
g. K_____	*fog*

6. Describe this person in Malay using the 3rd person

Name: Dawson

Lives in: Kuala Lumpur

Age : 13

Pet: A white bird

Weather: Hot and sunny weather

Always: Goes to the countryside and does hiking

Never: Stays at home and does homework

5. Guided writing – write 3 short paragraphs in the first person I using the details below

Person	Lives	Weather	Activity	With
Farah	Tanjung Tokong	Good weather	Go to the park	Friends
Ann	Bayan Baru	Hot and sunny	Go to the beach	Dog
Hafiz	Balik Pulau	Cold and rainy	Stay home	Older sister

 THE LANGUAGE GYM

Grammar Time 13: YANG – *The One* or *Which*
Making Plans

Pada hari minggu **Pada hujung minggu** *On the weekend* **Pada hari Ahad** *On Sunday* **Pada hari Isnin** *On Monday* **Pada hari Selasa** *On Tuesday* **Pada hari Rabu** *On Wednesday* **Pada hari Khamis** *On Thurdsay* **Pada hari Jumaat** *On Friday* **Pada hari Sabtu** *On Saturday*	**kita** *we*	**akan** *will*	**menonton** *to watch*	**filem** *a film*	**yang mana?** *which one*
			bermain *to play* **menonton** *to watch*	**sukan** *sport*	
			pergi ke *go to*	**kedai** *shop* **kolam renang** *swimming pool* **majlis** *party* **pantai** *beach* **pusat membeli-belah** *shopping mall* **taman** *park*	

Mungkin *Maybe* **Sudah tentu** *Of course*	**yang terbaik** *the best* **yang terdekat** *the closest* **yang terkenal** *the most popular*	
	bola keranjang *basketball* **bola sepak** *football/ soccer* **bola tampar** *volleyball*	

Menaiki	**kereta** *car* **bas** **keretapi** *train*	**yang mana?** *which one/whose*	**Kereta** *car*	**saya** *my* **kawan saya** *my friend's* **ibu saya** *my mum's*
			Bas **Keretapi** *train*	**nombor dua belas** *number 12* **dari pusat bandar** *from the city centre*

Kita akan berjumpa pada jam berapa? *We Will meet at what time?*

Jam berapa? *What time?*	**Pada jam/ pukul** *At (the time)*	**tujuh** *7 o'clock*			**pagi** *6am-11am* **siang/ tengahari** *11am-4pm* **petang** *4pm-6pm* **malam** *6pm-6am*
		satu *setengah *half past one*			
		tiga *3* **empat** *4*	**lewat** *past* **kurang** *less*	**seperempat/suku** *a quarter* **dua puluh minit** *20 minutes*	

*Author's note: setengah here is *half **TO** the next hour*

It is common to use the 24 hour clock in Malay, especially in transport timetables, but also in general conversation.

THE LANGUAGE GYM

Drills

1. Translate into English

a. Menonton filem yang mana

b. Bermain sukan yang mana

c. Belajar topik yang mana

d. Menonton sukan yang mana

e. Pergi ke pantai yang mana

f. Pergi ke taman yang mana

g. Pergi ke majlis yang mana

2. Spot and correct the mistakes (note: not all sentences are wrong)

a. Pada hujung minggu kita yang mana akan menonton filem

b. Pada hari Ahad yang mana kita akan menonton sukan

c. Pada hari Isnin kita akan pergi ke yang mana pantai

d. Pada hari Selasa kita akan pergi ke pusat yang mana membeli-belah

e. Pada hari kamis kita akan pergi ke pantai yng mana

f. Pada hari Satu kita akan pergi ke mana yang majlis

3. Fill in the missing phrase according to the bracketed word

a. Pada hari minggu, kita akan menonton filem _____ (which one)?
_____ (Maybe) Frozen

b. Pada hari Ahad, kita akan bermain sukan _____ (which one)?
_____ (Of course) bola tampar

c. Pada hari Jumaat, kita akan pergi ke kolam renang _____ (which one)?
_____ (Of course) kolam renang sekolah

d. Pada hari Khamis, kita akan pergi ke kedai _____ (which one)?
_____ (Maybe) kedai buku

e. Pada hari Khamis, kita akan pergi ke taman _____ (which one)?
_____ (Maybe) taman permainan kanak-kanak

f. Kita akan berjumpa pada jam berapa?
Pada jam _____ (7am)

4. Translate into English

a. Pada hari minggu, kita akan menonton filem yang mana?

b. Pada hari Isnin, kita akan bermain sukan yang mana?

c. Pada hari Jumaat, kita akan pergi ke kolam renang yang mana?

d. Pada hari Rabu, kita akan pergi ke kedai buku yang mana?

e. Pada hari Selasa, kita akan pergi ke taman yang mana?

f. Mungkin kolam renang sekolah

g. Sudah tentu kedai buku

h. Mungkin taman permainan kanak-kanak

i. Kita akan berjumpa pada jam berapa?

5. Translate into Malay

a. On Monday, we will watch which movie

b. On weekdays, we will play which sport

c. At the end, we will go to which pool

d. On Tuesday, we will go to which cinema

e. On Thursday, we will go to which ceremony

f. Maybe a birthday party

g. Of course the eatery

h. Maybe a children's pool

i. What time will we meet?

THE LANGUAGE GYM

125

Revision Quickie 4: Clothes/ Free time/ Weather

1. Activities - Match

Saya membuat kerja rumah	I go to church
Saya bersukan	I go to the swimming pool
Saya bermain bola keranjang	
Saya bermain kad	I go to the gym
Saya pergi ke gereja	I go window shopping
Saya pergi ke kolam renang	I do homework
Saya ke pusat gim	I go swimming
Saya cuci mata di pusat membeli-belah	I do rock climbing
	I do sport
Saya berenang	I go horse-riding
Saya menunggang kuda	I go to the beach
Saya pergi ke pantai	I play cards
Saya mendaki	I play basketball

2. Weather – Complete

a. Cuaca di_ _ _ _

b. Cuaca pa_ _ _

c. Cuaca c_ _ _ _ _

d. Cuaca berk_ _ _ _

e. Cuaca ba_ _

f. Cuaca b_ _ _ _

g. Cuaca b_ _ _ _ _ _ _ _

h. Cuaca bera_ _ _ _

i. Apabila ada k_ _ _ _ _

3. Fill in the gaps in Malay

a. Apabila cuaca s_____, saya memakai k_____   *When it is cold I wear a coat*

b. Apabila cuaca b_____ saya_____ di rumah   *When the weather is bad I stay at home*

c. Apabila cuaca c_____ saya pergi ke p_____   *When it is sunny I go to the beach*

d. Apabila saya ke gim, saya m_____baju s_____   *When I go to the gym I wear a tracksuit*

e. Apabila cuaca p_____ saya pergi k__ k_____ r_____   *When it is hot I go to the swimming pool*

f. Pada akhir minggu saya m_____ k_____ r_____ s____   *At the week-end I do my homework*

g. Kalau ada m_____ l_____   *When I have free time*

4. Translate into Malay

a. When it is hot:

b. When it is cold:

c. I play basketball:

d. I do my homework:

e. I go rock climbing:

f. When I have free time:

g. I go to the swimming-pool:

h. I go to the gym:

5. Translate to Malay

a. I wear a coat

b. We wear a uniform

c. They play basketball

d. She goes rock climbing

e. He has free time

f. They go swimming

g. My parents do sport

h. She plays football often

THE LANGUAGE GYM

Question Skills 3: Clothes/ Free time/ Weather

1. Translate into English

a. Pada cuaca sejuk anda memakai apa?

b. Bagaimana cuaca di tempat tinggal anda?

c. Anda melakukan apa kalau ada masa lapang?

d. Adakah anda bermain olahraga?

e. Berapa kerap anda bermain bola keranjang?

f. Mengapa anda tidak suka bola sepak?

g. Di mana anda mendaki?

h. Yang mana olahraga kegemaran anda?

2. Complete with the missing question word:

a. _____ anda tinggal?

b. _____ anda bermain olahraga?

c. Anda lebih suka olahraga _____?

d. _____ anda berenang?

e. _____ anda membeli kasut?

f. Anda suka melakukan _____ pada masa lapang?

g. Anda bermain tenis dengan _____ ?

h. Anda sering menunggang kuda dengan _____ ?

i. _____ anda akan bermain dengan saya?

3. Split questions

Anda buat apa	**mendaki?**
Dengan siapa	**ke mana?**
Mengapa anda	**pada masa lapang?**
Di mana anda	**banyak baju baharu?**
Yang mana	**anda bermain catur?**
Anda pergi	**apabila cuaca dingin?**
Apakah anda ada	**sukan kegemaran anda?**
Anda memakai apa	**tidak suka tenis?**

4. Translate into Malay

a. What?

b. Where?

c. How?

d. When?

e. Why?

f. How much? (m. sg)

g. How many? (f. pl)

h. From where?

i. Which?

5. Write the questions to these answers

a. Apabila cuaca hujan saya pakai baju sejuk

b. Pada akhir bulan saya bersukan

c. Saya pergi ke pusat sukan jam lima petang

d. Saya ada dua baju sukan

e. Saya bermain tenis dengan ayah atau kakak

f. Saya berenang di kolam renang dekat rumah saya

g. Saya jarang mendaki bukit

6. Translate into Malay

a. Where do you play tennis?

b. What do you do when you have free time?

c. How many shoes do you have?

d. What is your hobby?

e. Do you do sport often?

f. At what time do you do your homework?

UNIT 16
Talking about my
daily routine

Revision Quickie 5: Clothes/ Food/ Free Time/ Descriptions

In this unit you will learn how to say:

- What you do every day
- At what time you do it
- Sequencing events/ actions (e.g. using 'then', 'finally')

You will revisit:
- Numbers
- Free time activities
- Nationalities
- Clothes
- Hair and eyes
- Food
- Jobs

UNIT 16
Talking about my daily routine

Pada pukul... *At around...* **Pada pukul...** *At .... o'clock* **...satu** *1* **...lima** *5* **...enam** *6* **...lapan lima minit** *8.05* **...lapan sepuluh minit** *8.10* **...lapan lima belas minit** *8.15* **...lapan dua puluh minit** *8.20* **...lapan dua puluh lima minit** *8.25* **...lapan setengah** *8.30 ** **...lapan tiga puluh lima minit** *8.35* **...lapan empat puluh minit** *8.40* **...lapan empat puluh lima minit** *8.45* **...lapan lima puluh minit** *8.50* **...lapan lima puluh lima minit** *8.55* **dua belas tengah hari** *12 pm* **dua belas tengah malam** *12 am*	**pagi** *in the morning* **siang/ tengahari** *in the mid morning (12pm-2pm)* **petang** *in the afternoon* **malam** *in the evening*	**saya bangun** *I wake up* **saya bermain komputer** *I play on the computer* **saya bersantai/berehat** *I rest* **saya keluar dari rumah** *I leave my house* **saya makan tengahari** *I have lunch* **saya makan malam** *I have dinner* **saya makan sarapan pagi** *I have breakfast* **saya membuat kerja rumah** *I do my homework* **saya menggosok gigi** *I brush my teeth* **saya memakai pakaian** *I get dressed* **saya menaiki bas ke sekolah** *I go to school by bus* **saya menonton televisyen** *I watch television* **saya pulang ke rumah** *I go back home* **saya tidur** *I go to sleep*	**lalu/ kemudian...** *then* **selepas...** *after* **sebelum...** *before* **akhirnya...** *finally*

Author's Note:
1. There are alternatives when describing clock times
   a. **jam** or **pukul** precedes the hour, **jam lima** (*five o'clock*) or **pukul enam** (*six o'clock*)
   b. **lebih** (*more*) or **lewat** (*past*) to express the "after the hour" times
2. 'half past' times are half <u>to</u> the next hour, i.e. 8:30 is *half <u>to</u> nine* - **jam sembilan setengah**
3. Often 24 hours clock time is used, especially for transport timetables
4. Times are often simplified to use minutes past the hour only, e.g. **jam tujuh tiga puluh lima minit** (*7:35*), including 'half past' times, **jam lapan tiga puluh minit** (8:30)

Unit 16. Talking about my daily routine: VOCAB BUILDING (Part 1)

1. Match up

Saya pergi tidur	I have lunch
Saya balik ke rumah	I have dinner
Saya pergi ke sekolah	I get up
Saya berehat	I have breakfast
Saya sarapan pagi	I rest
Saya bangun tidur	I go to school
Saya makan malam	I go back home
Saya makan tengahari	I go to bed

2. Translate into English

a. Saya bangun pada jam enam pagi

b. Saya tidur pada jam sebelas malam

c. Saya makan tengah hari

d. Saya sarapan pagi pada jam enam pagi

e. Saya pulang pada jam tiga setengah petang

f. Saya makan malam sekitar jam lapan malam

g. saya menonton televisyen

h. Saya mendengar muzik

i. Saya bertolak dari rumah pada jam tujuh pagi

3. Complete with the missing words

a. Saya pergi ke _____   *I go to school*

b. Saya tinggalkan _____   *I leave the house*

c. Saya pulang ke _____   *I come back home*

d. Saya menonton _____   *I watch television*

e. Saya membuat _____   *I do my homework*

f. Saya mendengar _____   *I listen to music*

g. Saya bermain _____   *I play on the computer*

h. Saya _____   *I have lunch at noon*

4. Complete with the missing letters

a. Saya bereha_   *I rest*

b. Saya balik ke ruma_   *I go back home*

c. Saya mendengar muzi_   *I listen to music*

d. Saya sarapan pag_   *I have breakfast*

e. Saya makan mala_   *I have dinner*

f. Saya pergi ke sekola_   *I go to school*

g. Saya bangun tidu_   *I get up*

h. Saya pergi tidu_   *I go to bed*

i. Saya makan tengahar_   *I have lunch*

5. Faulty translation – spot and correct any translation mistakes. Not all translations are wrong.

a. Saya berehat sedikit: *I shower a bit*

b. Saya pergi tidur pada tengah malam: *I go to bed at noon*

c. Saya buat kerja rumah saya: *I do your homework*

d. Makan tengah hari: *I have lunch*

e. Saya pergi ke sekolah: *I come back from school*

f. Saya pulang ke rumah: *I leave the house*

g. Saya menonton televisyen: *I watch television*

h. Saya tinggalkan rumah: *I leave school*

i. Saya gosok gigi saya: *I wash my hands*

6. Translate the following times into Malay *(add pada waktu pagi/ pada waktu tengahari/ pada waktu petang where appropriate)*

a. At 7.30 a.m.

b. At 8.20 p.m.

c. At midday

d. At 9.20 a.m.

e. At 11.00 p.m.

f. At midnight

g. At 5.15 p.m.

Unit 16. Talking about my daily routine: VOCAB BUILDING (Part 2)

1. Complete the table

Saya berehat	
	I brush my teeth
Saya bangun tidur	
	I go back home
Pada waktu pagi	
Makan tengahari	
	I have dinner
Saya mendengar muzik	
	I leave the house
Sarapan pagi	
Makan malam	
	I do my homework
Saya mandi	

2. Complete the sentences using the words in the table

a. Pada _____   *At seven thirty*

b. Pada _____ petang   *At 5.00 pm*

c. Pada _____ pagi   *At 8.00 a.m.*

d. Pada _____   *At noon*

e. Pada _____   *At 11 a.m*

f. Pada _____   *At 2.40 a.m*

g. Pada _____   *At midnight*

h. Pada _____pagi   *At 4.00am*

i. Pada _____ malam   *At 7.00pm*

j. Pada _____ tengahari   *At 2.00pm*

Tujuh setengah	empat	Tengah malam	sebelas	lapan
dua	tujuh	dua empat puluh	tengahari	lima

3. Translate into English (numerical)

a. Pukul lapan setengah_____***At 8.30***_____

b. Pada pukul sembilan setengah _____

c. Pada pukul lima empat puluh _____

d. Pada pukul dua _____

e. Pada waktu malam_____

f. Pada lima petang _____

g. Pada pukul dua pagi _____

4. Complete

a. Pada p___ l_____   *At 5.30*

b. Pada p___ l_____   *At 8.15*

c. Pada waktu t_____   *At noon*

d. Pada p___ t_____   *At 7.45*

e. Pada w___ t_____   *At midnight*

f. Pada p___ s_____   *At 11.30*

g. Pada p___ s___ s__   *At about 1.00*

5. Translate the following into Malay

a. I go to school at around 8

b. I come back home at around 3

c. I have dinner at 7.30

d. I do my homework at around 5.30

e. I have breakfast at 6.45

f. I go to bed at midnight

g. I have lunch at midday

Nama saya Hiroto. Saya orang Jepun. Rutin harian saya sangat mudah. Saya biasanya bangun jam enam. Kemudian saya mandi dan memakai pakaian. Selepas itu, saya sarapan bersama ayah dan adik lelaki saya. Kemudian saya gosok gigi dan sikat rambut. Pada jam tujuh setengah saya keluar dari rumah dan pergi ke sekolah dengan basikal. Saya pulang ke rumah pada jam empat. Kemudian saya berehat. Saya biasanya menonton televisyen. Jadi, saya pergi ke taman dengan kawan-kawan saya sehingga jam enam. Dari jam enam hingga tujuh setengah saya membuat kerja rumah. Kemudian, pada jam lapan, saya makan malam dengan keluarga saya. Saya tidak makan banyak. Hanya burger. Kemudian, saya menonton filem dan pada jam sebelas, saya tidur.

Nama saya Andreas. Saya orang Jerman. Rutin harian saya sangat mudah. Saya selalunya bangun awal, sekitar jam lima. Saya pergi berjoging dan kemudian saya mandi dan memakai pakaian. Selepas itu, pada jam enam setengah, saya sarapan pagi buah-buahan bersama ibu dan adik. Kemudian, saya memberus gigi dan mengemas beg galas saya. Kira-kira jam tujuh setengah saya keluar dari rumah dan pergi ke sekolah. Saya pulang lebih kurang pukul tiga setengah. Kemudian saya berehat sekejap. Saya biasanya menonton televisyen atau berbual dengan rakan saya di internet. Dari jam enam hingga lapan saya membuat kerja rumah. Pada jam lapan suku, saya makan malam bersama keluarga. Saya tidak makan banyak. Kemudian saya bermain sehingga tengah malam. Akhirnya, saya pergi tidur.

Nama saya Gregorio. Saya orang Mexico. Rutin harian saya sangat mudah. Saya biasanya bangun pada jam enam setengah. Kemudian saya mandi dan sarapan pagi dengan dua orang abang saya. Selepas itu, saya memberus gigi dan mengemas beg sekolah saya. Pada jam tujuh saya pergi ke sekolah. Saya pergi ke sekolah berjalan kaki. Saya pulang lebih kurang jam tiga setengah. Kemudian saya berehat sekejap. Saya biasanya melayari internet, menonton siri di Netflix atau berbual dengan rakan saya di Whatsapp atau Snapchat. Dari jam lima hingga enam, saya membuat kerja rumah saya. Kemudian, pada jam tujuh setengah, saya makan malam dengan keluarga saya. Seperti nasi atau salad. Kemudian, saya menonton televisyen dan, kira-kira jam sebelas setengah, saya tidur.

1. Answer the following questions about Hiroto

a. Where is he from?

b. At what time does he get up?

c. Who does he have breakfast with?

d. At what time does he leave the house?

e. Until what time does he stay at the park?

f. How does he go to school?

2. Find the Malay for the phrases below in Hiroto's text

a. At around eleven

b. With my friends

c. I go by bike

d. I go to the park

e. I shower and get dressed

f. I don't eat much

g. From six to seven

h. I do my homework

3. Complete the statements below about Andreas

a. He gets up at _____

b. He comes back from school at _____

c. For breakfast he eats _____

d. He has breakfast with _____

e. After getting up he _____ and then showers

f. Usually he _____ until midnight

g. After breakfast he brushes his teeth and then

_____.

4. Find the Malay for the following phrases/ sentences in Gregorio's text

a. I am Mexican

b. I shower

c. With my two brothers

d. I relax a bit

e. I eat rice or salad

f. I surf the internet

g. I have dinner

Unit 16. Talking about my daily routine: READING (Part 2)

Nama saya Landy. Saya berumur dua belas tahun. Saya orang Cina. Rutin harian saya sangat sederhana. Biasanya saya bangun sekitar jam enam setengah. Kemudian, saya mandi dan memakai pakaian. Setelah itu, saya makan sarapan dengan ibu dan kakak saya, Li Wei. Selepas itu, saya menggosok gigi dan mengemas bilik saya. Pada jam tujuh setengah saya pergi ke sekolah. Saya pulang sekitar jam empat. Kemudian saya berehat sekejap. Biasanya saya menonton televisyen, mendengar muzik atau membaca komik kesukaan saya. Dari jam enam sampai tujuh setengah saya membuat kerja rumah saya. Pada jam lapan, saya makan malam bersama keluarga. Saya tidak makan banyak. Saya menonton filem dan pada jam sebelas, saya tidur.

Nama saya Cassie. Saya orang Itali. Rutin harian saya sangat sederhana. Biasanya saya bangun jam enam. Selepas itu, saya mandi dan makan sarapan dengan kakak saya. Saya menggosok gigi dan mengemas bilik. Pada jam tujuh saya pergi ke sekolah menaiki bas. Saya pulang sekitar jam dua setengah. Kemudian saya berehat sekejap. Biasanya saya melayari Internet, menonton televisyen atau membaca majalah fesyen. Dari jam lima sampai tujuh, saya membuat kerja rumah. Kemudian, pada jam lapan, saya makan malam bersama keluarga. Seperti buah atau salad. Saya membaca novel dan pada jam sebelas setengah saya tidur.

Nama saya Anthony. Saya orang Inggeris. Umur saya lima belas tahun. Rutin harian saya sangat sederhana. Biasanya saya bangun pagi, pada jam lima setengah. Saya bersenam, mandi dan memakai pakaian. Kemudian, sekitar jam tujuh, saya sarapan pagi bersama ibu dan saudara tiri saya. Kemudian, saya menggosok gigi dan mengemas bilik. Pada jam tujuh setengah saya pergi ke sekolah. Saya pulang sekitar jam tiga. Saya berehat sekejap. Selepas itu, saya mendengar muzik atau berbual-bual dengan kawan-kawan saya di internet. Dari jam enam sampai lapan saya membuat kerja rumah. Pada jam lapan, saya makan malam bersama keluarga saya. Kemudian saya menonton filem hingga tengah malam. Akhirnya, saya tidur.

1. Find the Malay phrases in Landy's text

a. I am Chinese

b. My daily routine

c. I shower

d. Very simple

e. At around 7.30

f. I don't eat much

g. I watch television

h. I go to school

i. I do my homework

j. From six to seven

2. Translate these phrases in Anthony's text

a. I am English

b. Generally

c. At around 5.30

d. With my mum and stepsister

e. I go back home

f. I have dinner with my family

g. I rest a bit

h. I brush my teeth

4. Find Someone Who...

a. ...has breakfast with their older sister

b. ...doesn't watch television at night

c. ...reads fashion magazines

d. ...gets up at 5.30am

e. ...has breakfast with their brother and mother

f. ...chats with their friends on the internet after school

g. ...does exercise in the morning

3. Answer the following questions on Cassie's text

a. What nationality is Cassie?

b. At what time does she get up?

c. What three things does she do after school?

d. How does she go to school?

e. Who does she have breakfast with?

f. At what time does she go to bed?

g. What does she eat for dinner?

h. What does she read before going to bed?

Unit 16. Talking about my daily routine: WRITING

1. Split sentences

Saya pergi ke	buku
Saya pulang ke	rumah
Saya makan	bermain bola sepak
Saya minum	sarapan
Pada waktu pagi, saya	petang
Pada waktu petang, saya	malam
Saya membaca	sekolah

2. Complete with the correct option

a. Saya bangun pada _____ tujuh pagi

b. Saya membuat kerja _____

c. Saya menonton _____

d. Saya bermain bola sepak di _____

e. Saya _____ televisyen pada tengah malam

f. Saya pulang ke _____

g. Saya keluar dari _____

h. Saya pergi ke _____ dengan bas sekolah

sekolah	rumah	padang	rumah
rumah	tidur	televisyen	jam

3. Spot and correct the grammar and spelling mistakes in several cases a word is missing

a. Sayo pergi ke sekolah dengan baasikal

b. Saya bangun jam tujuh setengah

c. Saya bertolak dari ruumah pada jam lapan

d. Saya balik rumah

e. saya pergi ke sekolah dengan bas

f. Saya pergi tidur sekitar jam sebelas

g. Saya makan malam pada jam lapan suku

h. Saya membuat kerja rumah pada jam lima setengah

4. Complete the words

a. s_____ *quarter*

b. s_____ *half*

c. p____ jam s____ *at 10*

d. p_____ *at*

e. p____ jam l_____ *at 8*

f. d_____ *twenty*

g. k_____ *then*

h. s_____ *I have lunch*

i. s_____ *I come back*

j. s_____ *I play*

5. Guided writing – write 3 short paragraphs in the first person I using the details below

Person	Gets up	Showers	Goes to school	Comes back home	Watches TV	Has dinner	Goes to bed
Ezira	6.30	7.00	8.05	3.30	6.00	8.10	11.10
Hani	6.40	7.10	7.40	4.00	6.30	8.15	12.00
Dawson	7.15	7.30	8.00	3.15	6.40	8.20	11.30

Revision Quickie 5: Clothes/ Food/ Free Time/ Describing people

1. Clothes – Match up

topi	hat
skirt	skirt
gaun	dress
kemeja-t	shirt
seluar jeans	T-shirt
sut	jeans
stokin	suit
seluar panjang	socks
selendang	trousers
tali leher	scarf
kemeja	tie

2. Food – Provide a word for each of the cues below

A fruit starting with **M**	mangga
A vegetable starting with **S**	
A dairy product starting with **K**	
A meat starting with **A**	
A drink starting with **Z**	
A drink made using lemons **L**	
A sweet dessert starting with **P**	
A fruit starting with **C**	

3. Complete the translations below

a. Shoes: ka_____

b. Hat: to_____

c. Hair: ra_____

d. Curly: ke_____

e. Purple: un_____

f. Milk: su_____

g. Water: a_____

h. Drink: mi_____

i. Job: pe_____

k. Clothes: pa_____

4. Clothes, Colours, Food, Jobs – Categories

Pakaian	Warna	Makanan	Pekerjaan

kemeja	biru	pramugari	pemandu
daging	hijau	peguam	ayam
kasut	cef	susu	guru
nasi	topi	kopi	merah

5. Match questions and answers

Apakah pekerjaan kesukaan anda?	Baju sukan
Apakah warna kesukaan anda?	Guru Seni
Anda tidak suka daging yang mana?	Peguam
Anda memakai apa ke pusat sukan?	Bermain catur
Siapa guru kesukaan anda?	Biru
Minuman yang mana kesukaan anda?	Kerbau
Apakah hobi kegemaran anda?	Jus buah

6. Free time) Complete with *pergi* or *bermain* as appropriate

a. Saya tidak _____ sukan

b. Saya jarang _____ bola keranjang

c. Saya sering _____ ke pusat sukan

d. Saya_____ ke pantai setiap hari

e. Saya selalu _____ke pusat membeli-belah

f. Saya tidak _____ ke kolam renang hari ini

7. Complete with the missing verb, choosing from the list below

a. Saya _____ banyak jus buah.

b. Dia _____ televisyen.

c. Selepas _____ kerja rumah saya _____ ke pusat membeli-belah.

d. Saya _____ banyak sukan.

e. Semasa sarapan saya tidak _____ banyak. Hanya sebiji epal.

f. Kakak saya _____ sebagai guru. Dia _____ di Kuala Lumpur

g. Saya _____ menonton kartun tetapi saya _____ menonton filem di Netflix

h. Setiap hari saya _____ pada pukul enam dan _____

bekerja	bangun	menonton	lebih suka
mandi	minum	bermain	tidak suka
pergi	makan	tinggal	membuat

8. Time markers – Translate

a. Belum pernah:

b. Kadang-kadang:

c. Selalu:

d. Setiap hari:

e. Jarang:

f. Seminggu sekali:

g. Dua kali sebulan:

9. Split sentences (Relationships)

Saya bergaul baik dengan	datuk dan nenek saya
Saya tidak	ibu saya
Ibu bapa	bercakap dengan baik
Saya sayang kepada	kerana tidak baik
Abang saya	peramah
Guru	saya ramah dan cantik
Kawan saya sangat	hati
Saya tidak suka bapa saudara	saya sangat baik
Kawan saya baik	baik dengan adik saya

11. Translate into Malay

a. I play tennis every day

b. I wear a jacket sometimes

c. I go to the gym often

d. I don't watch cartoons

e. I get up at around 6 a.m.

f. I shower twice a day

10. Complete the translation

a. Abang saya _____

My brother is a fireman

b. Saya tidak _____. Saya _____

I don't work. I am a student

c. Kadang-kadang saya_____ ke pawagam

Sometimes I go to the cinema

d. Saya tidak pernah _____ televisyen *I never watch tv*

e. Saya tidak _____ guru saya

I don't hate my teachers

f. Ibu bapa saya _____

My parents are strict

g. Saya tidak pernah _____ *I never go jogging*

UNIT 17
Describing my house:
- indicating where it is located
- saying what I like/ dislike about it

Grammar Time 14: Prepositions Di + Ke + Dari
Grammar Time 15: Negative Interrogatives – Tidak, Bukan, Belum, Jangan

In this unit you will learn how to say in Malay:

- Where your house/ apartment is located
- What your favourite room is
- What you like to do in each room
- Check understanding using question tags

You will revisit:

- Adjectives to describe places
- Frequency markers
- Places
- Prepositions

UNIT 17
Describing my house

Saya tinggal di rumah *I live in a ... house* **Saya tinggal di pangsapuri** *I live in a ... flat*	**baru** *new* **besar** *big* **indah** *beautiful* **kecil** *small* **lama** *old* **usang/ buruk** *ugly*	**di kampung** *in a village* **di kawasan perumahan** *in a residential area* **di luar bandar** *on the outskirts of town* **di luar bandar** *in the countryside* **di pusat bandar** *in the city centre* **di pantai** *on the coast* **di pergunungan** *in the mountains*	**Bilik kesukaan saya ialah...** *My favourite room is* **Di rumah saya ada empat/ lima/ enam bilik...** *In my house there are 4/ 5/ 6 rooms* **Saya suka berehat di...** *I like to relax in* **Saya suka bekerja di...** *I like to work in* **Saya selalu mandi di...** *I always shower in*	**balkoni** *balcony* **bilik mandi** *bathroom* **bilik tidur** *bedroom* **dapur** *kitchen* **ruang makan** *dining hall* **ruang tamu** *living hall* **taman** *garden*

Author's note: Yang *which is*: is optional when using one adjective, however it does emphasise the adjective. When using more than one adjective to describe a noun, use **yang** *which is* rather than making a list and using 'and'.

Bilik or **ruang?** There are subtle differences between the use of these words. Bilik is generally an enclosed space, while a ruang is more open. Some examples are: **ruang tamu** living hall (usually at the entrance to a home); **ruang makan** *dining hall;* **bilik makan** *dining room*

Unit 17. Describing my house: VOCABULARY BUILDING PART 1

1. Match up

saya tinggal di	a flat
rumah	new
pangsapuri	residential
besar	area
baharu	I live in
luar bandar	a house
kawasan	big
perumahan	countryside
sebuah flat	apartment

2. Translate into English

a. Saya tinggal di sebuah rumah lama kecil

b. Saya tinggal di pangsapuri besar dan baharu

c. Pangsapuri saya di pinggir bandar

d. Rumah saya di luar bandar

e. Bilik kegemaran saya ialah bilik tidur saya

f. Saya suka dapur

g. Saya suka bekerja di ruang tamu

h. Saya selalu mandi di bilik air

i. Saya suka berehat di taman

3. Complete with the missing words

a. Saya _____ di pantai *I live on the coast*

b. Saya suka _____ saya *I like my house*

c. Saya _____ di rumah lama tetapi cantik *I live in an old but pretty house*

d. Saya suka berehat di _____ *I like to relax in the living room*

e. Rumah saya di pinggir _____ *My house is on the outskirts*

f. Saya tidak pernah _____ di taman! *I never shower in the garden!*

4. Complete the words (about 'rumah')

a. r_____ *a house* g. p_____ *the coast*

b. u_____ *ugly* h. p_____ *the outskirts*

c. b_____ *new* i. p_____ *the centre*

d. l_____ *old* j. t_____ *the garden*

e. b_____ *big* k. t_____ *the terrace*

f. d_____ *in* l. b_____ *room*

5. Classify the words/phrases below in the table below

a. **selalu**	i. besar
b. berehat	j. kadang-kadang
c. tidak pernah	k. ruang makan
d. bagus	l. luar bandar
e. baharu	m. pendek
f. gunung	n. bekerja
g. saya mandi	o. pantai
h. bilik tidur	p. kecil

Time phrases	Nouns	Verbs	Adjectives
a.			

6. Translate into Malay

a. I live in an old flat

b. I live in a new house

c. In the town centre

d. I like to relax in the living room

e. I always shower in the bathroom

f. I live in a residential area

g. My favourite room is the kitchen

 THE LANGUAGE GYM

139

Unit 17. Describing my house: VOCABULARY BUILDING PART 2

1. Match up

tinggal di	pantai
rumah	bandar
di	apartmen
pangsapuri	lama dan indah
di pusat	bandar baharu
luar	berehat
saya selalu	bandar
saya suka	mandi

2. Complete with the missing word

a. Saya tidak suka _____ — *I don't like to work*

b. Ia kecil tetapi _____ — *It is small but pretty*

c. Ia berada di _____ bandar — *It is in the town centre*

d. Ia berada di _____ bandar — *It is on the outskirts*

e. Saya tinggal di _____ besar — *I live in a big house*

f. Di_____ perumahan — *In a residential area*

g. Bilik _____ saya ialah... — *My favourite room is...*

h. Saya _____ di taman — *I relax in the garden*

i. Saya _____ di bilik tidur saya — *I study in my bedroom*

j. Terdapat _____ bilik — *There are four rooms*

empat	belajar	berehat	kegemaran	kawasan
rumah	pinggir	pusat	cantik	bekerja

3. Translate into English

a. Saya tinggal di rumah kecil

b. Rumah itu di tepi pantai

c. Pangsapuri besar tetapi usang

d. Ia di kawasan perumahan

e. Di rumah saya ada lima bilik

f. Saya suka bekerja di bilik makan

g. Saya suka berehat

h. Saya tinggal di rumah di tepi pantai

i. Saya tinggal di luar bandar

4. Broken words

a. Saya suka be_____ — *I like to relax*

b. Saya tinggal di_____ — *I live in the mountain*

c. Pusat b_____ — *The city centre*

d. Saya tidak per_____ — *I never shower...*

e. ..._____ man — *...in the garden*

f. Bilik ke_____ — *My favourite room is...*

g. B_____ — *My bedroom*

5. 'Di' or 'ke'?

a. _____ pantai

b. _____ luar bandar

c. _____ ruang makan

d. _____ ruang tamu

e. _____ bandar

f. _____ halaman

g. _____ bilik air

h. _____ bilik

i. _____ pinggir

j. _____ kawasan

6. Bad translation: spot any fix the translation errors

a. Saya tinggal di sebuah rumah di pantai *I live in a flat on the coast*

b. Bilik kegemaran saya ialah dapur *My favourite room is the dining room*

c. Saya suka berehat di bilik tidur saya *I like to work out in my bedroom*

d. Saya tinggal di sebuah flat di kawasan perumahan *I live in a house in a residential area*

e. Saya suka rumah saya kerana ia besar dan cantik *I don't like my house because it is big and ugly*

f. Saya suka bekerja di bilik tamu *I like to work in a saloon*

g. Rumah saya mempunyai empat bilik *In my house there are fourteen rooms*

Unit 17. Describing my house: READING

Nama saya Danial. Saya dari Kedah. Saya tinggal di sebuah rumah besar yang cantik di tepi pantai. Rumah saya ada sepuluh bilik dan saya suka dapur. Saya suka memasak di dapur bersama ibu saya. Saya bangun tidur, mandi di bilik mandi, dan kemudian memakai pakaian di bilik tidur saya. Kawan saya Putri tinggal di rumah kecil di sebuah bukit. Putri sangat kelakar dan rajin. Dia tidak suka rumahnya kerana terlalu kecil.

Nama saya Mamut. Saya orang Indonesia dan saya tinggal di rumah yang sangat usang tetapi sangat indah di kampung. Saya suka rumah saya! Di rumah saya ada 5 bilik tetapi bilik yang saya suka iaitu ruang tamu. Apabila pulang dari sekolah saya suka berehat di ruang tamu dan menonton televisyen bersama kakak saya. Saya tidak suka bilik mandi kerana kadang-kadang ada tikus!

Nama saya Nazam. Saya dari Terengganu. Saya selalu bangun jam lima pagi kerana saya tinggal jauh dari sekolah, di luar bandar. Saya tinggal di sebuah rumah lama dan usang, tetapi saya menyukainya. Saya suka berehat di bilik tidur saya. Kadang-kadang saya membaca buku dan mendengar muzik di Spotify. Saya suka bilik tidur saya.

Nama saya Fazera dan saya dari Balik Pulau, Pulau Pinang. Rumah saya di pusat bandar, di tepi pantai. Di rumah saya, saya bercakap bahasa Melayu dan Mandarin; Saya tinggal di sebuah rumah kecil, baharu dan sangat cantik. Ada enam bilik dan saya juga ada kebun yang luas. Kura-kura saya tinggal di kebun. Namanya Punta. Bilik kegemaran saya adalah ruang makan kerana saya suka makan. Saya suka berehat di bilik tidur saya. Saya selalu menonton kartun dan drama bersiri di Netflix. Saya juga suka bekerja di rumah.

1. Answer the following questions about Danial

a. Where is he from?

b. What is his house like?

c. How many rooms are there in his house?

d. Which is his favourite room?

e. Where does he get dressed?

f. Where does Putri live?

g. Does she like her house? (Why?)

2. Find the Malay for the phrases below in Fazera's text

a. my house is in the centre

b. I live near...

c. I speak Malay and Mandarin

d. I also have a garden

e. I really like to eat

f. he lives in the garden

g. I like to relax

h. I like to work here

3. Find Someone Who...

a. ...lives far from school

b. ...speaks two languages

c. ...has a really really big house

d. ...sometimes finds 'unwanted guests' in the bathroom

e. ...has a big pet that lives outside the house

f. ...listens to music on a streaming platform

g. ...is a foodie (loves food)

h. ...has a friend that doesn't like their own house

4. Find the Malay for the following phrases/sentences in Nazam's text

a. I am from Terengganu

b. I always wake up at 5

c. I live far from school

d. The flat is very old

e. ...and a bit ugly

f. But I like it

g. Sometimes I read books

Unit 17. Describing my house: TRANSLATION

1. Gapped translation

a. **Saya tinggal di pusat bandar** *I live in the* _____

b. **Rumah saya sangat besar tetapi sangat usang**

My house is _____ *big but* ___ _____ *ugly*

c. **Ia berada di atas bukit** *It is in the* _____

d. **Saya tinggal** _____ _____ _____

I live in the city centre

e. **Rumah saya ada** _____ **buah bilik**

In my house there are five rooms

f. **Saya tidak begitu suka** _____ **kerana ia** _____

I don't really like the kitchen because it's ugly

2. Translate to English

a. Pantai

b. sebuah lantai

c. saya tinggal di

d. pusat

e. dari bandar

f. bilik kegemaran saya

g. Saya suka berehat

h. bilik tidur saya

i. ruang tamu

3. Translate into English

a. Saya tinggal di flat yang kecil dan usang

b. Rumah saya moden tetapi agak cantik

c. Pangsapuri saya sudah lama tetapi saya sangat menyukainya

d. Saya tinggal di sebuah rumah di pantai

e. Di rumah saya ada lima bilik

f. Bilik kegemaran saya iaitu bilik tidur saya

4. Translate into Malay

a. Big: B_____

b. Small: K_____

c. Outskirts: P_____

d. Coast: P_____

e. Area: K_____

f. Residential: P_____

g. Ugly: U_____

h. Room: B_____

i. There are: T_____

j. Old: L_____

5. Translate into Malay

a. I live in a small house

b. In the city centre

c. In my house there are...

d. Seven rooms

e. My favourite room is...

f. The living room

g. I like to relax in my bedroom

h. And I like to work in the living room

i. I live in a small and old flat

j. In a residential area

Grammar Time 14: Basic Prepositions 'Dalam + Di + Ke + Dari'

Saya *I* **Dia** *He/ She* **Kawan saya** *My friend* **Mereka** *They*	**bekerja** *work* **bersantai/ berehat** *relax* **berbual-bual** *chat* **makan** *eat* **membaca** *read* **membuat kerja rumah** *do homework* **minum** *drink*	**sambil** *while* **sudah** *after* **sebelum** *before*	**belajar** *study* **bermain komputer** *playing the computer* **berbual-bual** *chat* **membaca** *reading* **menonton televisyen** *watching TV*	**di** *in*	**kebun/ taman** *garden* **perpustakaan** *library* **pejabat** *the office* **teres** *terrace* **ruang tamu** *the sitting room* **ruang makan** *the dining room*

Dalam/ Di *In*	**keluarga saya** *my family* **pangsapuri saya** *my apartment* **rumah saya** *my house* **bandar saya** *my town* **kampung saya** *my village* **kawasan saya** *my area*	**ada** *there is/are*	**empat** *4* **enam** *6* **lapan** *8* **banyak** *many*	**orang** *people* **bilik** *rooms* **bilik tidur** *bedrooms* **kolam renang** *pools* **taman** *parks*

Saya *I* **Dia** *He/ She* **Kawan baik saya** *My close friend* **Kawan saya** *My friend* **Mereka** *They* **Ibu dan bapa saya** *My parents*	**naik/ menaiki** *go by, travel by*	**bas** *bus* **keretapi** *train* **kereta** *car* **kapal terbang** *plane* **motosikal** *motor bike* **teksi** *taxi*	**dari** *from*	**bandar** *city* **bandar Sydney** *the city of Sydney* **kawasan perumahan** *residential area* **kampung** *village* **pusat bandar** *the city centre* **rumah saya** *my house*	**ke** *to*

				bandar Kuala Lumpur *the city of Kuala Lumpur* **bandar Melbourne** *Melbourne* **kedai** *shop* **pantai** *the beach* **pedalaman** *the city outskirts* **pejabat** *the office* **rumah kawan saya** *my friend's house* **sekolah** *school*	
tinggal *live/ s*		**di** *in*		**di** *in*	**bandar Kuala Lumpur** *the city of Kuala Lumpur* **ibu negeri** *the capital city*
berasal *originates*	**dari** *from*	**bandar Adelaide** **negara Jepun** *the country Japan*	**tetapi sekarang** *but now*	**tinggal** *lives*	**di** *in* **negara Australia** **bandar Melbourne**

THE LANGUAGE GYM

1. Match up

dari rumah saya	in the capital city
tinggal di	originates from
di ibu negeri	from my house
berasal dari	from Japan
ke pejabat	lives in
dari negara Jepun	to the office

2. Complete with the correct preposition, 'di', 'ke' or 'dari'

a. _____ rumah saya ada empat bilik tidur

In my house there are four bedrooms

b. Dia berasal _____ mana? *Where does she come from?*

c. Mereka menaiki teksi_____ pusat bandar

They took a taxi from the city centre

d. Saya tinggal _____ ibu negeri Selangor

I live in the capital city of Selangor

e. _____ bandar saya ada banyak taman

In my town there are many parks

f. Saya menaiki kereta _____ rumah saya ___ pantai

I went by car from my house to the beach

g. Kawan saya belajar sambil menonton TV _____ ruang tamu

My friend studies while watching TV in the sitting room

3. Broken words

a. Bapa saya tin_____ d__ Kuala Lumpur.

b. Anda beras__ d_____ m_____?

c. Saya me_____ bas k _ pusat bandar.

d. Dia be _____ d_ pantai

f. Mere__ bere_____ d__ rumah

g. D_ rum____ sa_____ ada emp____ bilik tid____

h. Ibu bapa sa____ beras___ d_____ negara Singapura

4. Translate into English

a. Di bandar saya ada banyak kolam renang

b. Dia berasal dari negara Jepun

c. Kawan saya menaiki teksi ke pusat bandar

d. Di keluarga saya ada empat orang

e. Dia makan sambil belajar di ruang tamu

f. Saya menaiki bas dari bandar ke pantai

5. Complete the translation

a. Ibu dan bapa ___ tinggal _____ kampung

   My parents live in the village

b. Saya _____ komputer ____ ruang _____

   I play on the computer in the sitting room

c. Saya _____ teksi _____pejabat

   I go by taxi to the office

d. Mereka _____ selepas belajar ____ perpustakaan

   They relax after studying in the library

e. Mereka berasal _____mana?

   Where do they come from?

6. Translate into Malay

a. My parents and I live in a small house

b. They chat while studying in the library

c. My close friend goes by train from the city centre to the beach

d. She relaxes while reading in the garden

e. I do my homework after watching TV in the sitting room

f. He comes from Indonesia but now lives in Australia

 THE LANGUAGE GYM

Grammar Time 15: Negative Indicators
Tidak, bukan, belum, jangan

Saya *I (formal)* **Aku** *I (informal)* **Anda** *you (form)* **Kamu** *you (inf)* **Dia** *s/ he* **Mereka** *they* **Kawan anda** *your friend* **Bapa anda** *your dad* **Kakak saya** *My sister* **Datuk saya** *My grandpa* **Sepupu saya** *My cousin* **Kawan saya <u>Alia</u>** *My friend <u>Alia</u>* **Encik Amin** *Mr Amin* **Cik Indah** *Ms Indah*	**tidak** **do/ does not*	**ada kucing** *have a cat* **makan nasi** *eat rice* **minum kopi panas** *drink hot coffee* **pergi ke sekolah** *go to school* **suka tempat ini** *like that place* **tinggi** *tall*
	bukan* *is not*	**guru Seni saya** *my Art teacher* **orang yang tinggi** *a tall person* **seorang doktor** *a doctor*
	belum *not (yet)*	**masak untuk sarapan** *cooked breakfast* **menjadi doktor gigi** *become a dentist* **membaca buku itu** *read that book* **pernah ke negara Malaysia** *ever been to Malaysia*

	bermain bola sepak, *plays football* **guru Bahasa Melayu,** *is a Malay teacher* **seorang mekanik,** *is a mechanic* **tinggal di rumah itu,** *lives in that house*	**bukan? **** **ya?**

Jangan ****Don't*	**berjalan di atas rumput!** *walk on the Grass* **bising!** *be noisy* **ganggu tumpuan saya!** *disturb my concentration* **malas!** *be lazy* **makan makanan pedas!** *eat spicy food* **marah!** *be angry*

Author's note:
* Use **Tidak** to negate verbs, adjectives or adverbs. **Adakah kamu <u>suka</u> buah durian? Tidak, saya <u>tidak</u> <u>suka</u> buah durian** *Do you <u>like</u> durian? No, I <u>don't like</u> durian.*
Bukan negates nouns. **Ini buku Anda? Bukan.** *Is this your <u>book</u>? No.*
Using **bukan and **ya** as question tags **Anda guru, bukan?** *You're a teacher aren't you?*
*****Jangan** literally means *do not* and is a request or a polite order.

DRILLS

1. Match up

Tidak makan malam	Don't like this place
Tidak suka tempat ini	Not my food
Bukan makanan saya	Didn't eat dinner
Bukan rumah saya	Has not repeated yet
Belum ulang	Hasn't warmed up the engine
Belum panaskan enjin	Don't disturb him
Jangan ganggu dia	Not my house

2. Complete with the missing word: BUKAN, TIDAK or BELUM

a. Saya _____ bermain sepak takraw.

b. Kami _____ minum kopi panas di kantin sekolah hari ini

c. Kawan saya _____ pernah ke Malaysia

d. Ibu dan bapa _____ makan sarapan

e. Bapa saya _____ suka makan durian

f. Sepupu saya _____ menaiki bas ke sekolah

g. Encik Leman _____ guru Bahasa Melayu saya

h. Adakah ini beg sekolah anda ? _____

3. Complete with the correct option.

a. Saya _____ makan di restoran mewah

b. Bapa _____ pernah makan di warung Pak Ali

c. Saya _____ marah mereka lagi

d. Mereka _____ minum teh panas di kantin sekolah

e. Anda semua _____ pergi ke pejabat esok?

f. Ibu dan bapa _____ makan sarapan

g. Bapa _____ panaskan enjin kereta lagi

h. Saya _____ menjadi penyanyi terkenal

i. Ibu Indah _____ibu Irfan

j. _____ganggu dia

Tidak	Bukan	Belum	Jangan

4. Translate the sentence into English

a. Kawan anda seorang guru Bahasa Inggeris bukan?

b. Datuk saya belum pernah ke bandar Indonesia

c. Mereka tidak suka tempat itu kerana sangat bising

d. Bapa saya bukan seorang mekanik tetapi seorang guru

e. Mereka bermain bola sepak di sekolah setiap minggu bukan?

UNIT 18
Saying what I do at home, how often, when and where

Grammar Time 16: Compound Prepositions

In this unit you will learn how to provide a more detailed of your daily activities and building on the vocabulary learnt in the previous unit.

You will learn how to say in Indonesian:
- Where things are located

You will revisit:
- Time markers
- Parts of the house
- Description of people and places
- Telling the time
- Nationalities
- ME- and BER- verbs

Unit 18
Saying what I do at home, how often, when and where

Pada jam/ pukul enam pagi saya *At around 6 a.m. I*		
Saya sering *I often*	**Saya berbual dengan ibu saya** *I chat with my mum*	**di balkoni** *in the balcony*
	Saya bersarapan *I have breakfast*	**di bilik air/ bilik mandi** *in the bathroom*
Kadang-kadang saya *Sometimes I*	**Saya berehat** *I rest*	
	Saya bersiap *I get dressed*	**dalam bilik tidur abang** *in my brother's bedroom*
	Saya bermain Playstation *I play Playstation*	**di bilik tidur ibu bapa saya** *in my parents' bedroom*
Apabila ada masa lapang saya *When I have free time I*	**Saya gosok gigi saya** *I brush my teeth*	
	Saya mendengar muzik *I listen to music*	**di dalam bilik tidur saya** *in my bedroom*
	Saya membuat kerja rumah saya *I do my homework*	
Dua kali seminggu saya *Twice a week I*	**Saya membaca majalah** *I read magazines*	**di dalam bilik permainan** *in the games room*
	Saya membaca komik *I read comics*	
	Saya melayari internet *I go on the Internet*	**di dapur** *in the kitchen*
Saya tidak pernah *I never*	**Saya menunggang basikal saya** *I ride my bike*	
	Saya menyediakan makanan *I prepare food*	**di ruang makan** *in the dining room*
Biasanya saya *Usually I*	**Saya memuat naik gambar ke Instagram** *I upload pics to Instagram*	
	Saya menonton televisyen *I watch television*	**di ruang tamu** *in the living room*
Saya selalu *I always*	**Saya menonton filem** *I watch films*	**di taman** *in the garden*
Pada setiap hari saya *Every day I*	**Saya menonton siri di Netflix** *I watch series on Netflix*	
	Saya tinggalkan rumah *I leave the house*	**di teres** *in the terrace*
Pada umumnya saya *Generally I*		

Unit 18. Saying what I do at home: VOCABULARY BUILDING PART 1

1. Match up

Membaca komik	chat with
Menonton film	wash
Menyediakan makanan	watch movies
Membaca majalah	prepare food
Memakai baju	read magazines
Berbual dengan	shower
Membasuh/ Mencuci	get dressed
Mandi	read comics

2. Complete with the missing words

a. Saya _____ *I get dressed*

b. Saya _____ *I read comics*

c. Saya _____ *I read magazines*

d. Saya _____ *I wash my teeth*

e. Saya _____ *I shower*

f. Saya _____ *I prepare food*

g. Saya _____ *I go on the Net*

h. Saya _____ *I listen to music*

i. Saya _____ *I upload photos onto Instagram*

3. Translate into English

a. Saya biasanya mandi pada jam tujuh pagi

b. Saya tidak pernah menyediakan makanan

c. Biasanya, saya membaca majalah di ruang tamu

d. Pada jam tujuh pagi saya bersarapan di ruang makan

e. Kadang-kadang saya berbual dengan ibu di dapur

f. Kadang-kadang saya sarapan pagi di dapur

g. Kadang-kadang saya bermain Playstation dengan abang saya di bilik permainan

h. Saya selalu keluar rumah pada jam lapan pagi

4. Complete the words

a. S_____ *I shower*   g. S_____*I get dressed*

b. S_____*I read*   h. S_____*I play*

c. S_____*I chat*   i. S_____*I leave*

d. S_____*I prepare*   j. S_____*I do*

e. S_____*I upload*   k. S_____*I ride*

f. S_____*I wash*   l. S_____*I watch*

5. Classify the words/phrases below in the table below

a. **Pada pukul 6 pagi**   i. menggosok gigi
b. selalu   j. kadang-kadang
c. tidak pernah   k. setiap hari
d. bilik tidur   l. mendengar muzik
e. menonton televisisyen   m. membaca komik
f. bermain Playstation   n. menaiki basikal
g. mandi   o. dua kali seminggu
h. berbual-bual di Instagram   p. berbual-bual di Skype

Time phrases	Rooms in the house	Things you do in the bathroom	Free-time activities
a.			

6. Fill in the table with what activities you do in which room

Bermain permainan interaktif	Di bilik tidur
Menonton televisyen	
Mandi	
Membuat kerja rumah	
Menggosok gigi	
Berehat	
Menyediakan makanan	

THE LANGUAGE GYM

Unit 18. Saying what I do at home: VOCABULARY BUILDING PART 2

7. Complete the table

English	Malay
I get dressed	
I shower	
	Saya mendengar muzik
I upload photos	
	Saya tinggalkan rumah
	Saya berbual dengan abang saya
I rest	

8. Multiple choice quiz

	A	B	C
Selalu	always	never	sometimes
Kadang-kadang	sometimes	always	never
Taman	bedroom	lounge	garden
Saya membasuh	I shave	I wash	I go out
Saya berehat	I shower	I go out	I rest
Saya menonton	I go out	I watch	I rest
Dapur	garden	garage	kitchen
Bilik tidur	bedroom	lounge	kitchen
Saya bermain	I rest	I play	I prepare
Saya membaca	I watch	I read	I play
Saya pergi ke luar	I go out	I rest	I read
Setiap hari	always	never	every day

9. Anagrams: unscramble & translate

(Example) kTa nherpa – *tak pernah - never*

a. ruDpa

b. niamreB

c. beMmcaa

d. elSual

e. hatereB

f. idanM

10. Broken words

a. Da_____ *Kitchen*

b. Ti_____ *Never*

c. Ka_____ *Sometimes*

d. Se_____ *Always*

e. Se_____ *Often*

f. Ko_____ *Comic*

g. Bi_____ *My bedroom*

h. Sa_____ *I go out*

i. Sa_____ *I chat*

11. Complete based on the translation in brackets

a. P__ j__ t___ t____p___, s___ m_____ g_____
At seven thirty, I brush my teeth

b. P___ j__ l___ l__ b____, s___ m____ s____
At a quarter past eight I have breakfast

c. K___- k_____ s___ m_____ m_____
Sometimes I prepare the food

d. S____ s_____ m___ t____ apabila s___m___s_____
I always watch TV when I have breakfast

e. Biasanya, s___ k___ r_____ pada p____ l_____ setengah *Generally, I leave the house at eight thirty*

f. S___ j_____m_____k_____
I read comics rarely

g. P___ j__ l____, s____ m_____ k_____ r_____
At five I do my homework

12. Gap-fill from memory

a. Kadang-kadang saya _____ komik

b. Saya selalu _____ gigi saya selepas makan.

c. Saya _____ filem di saluran Netflix setiap hari

d. Saya suka _____ majalah fesyen

e. Saya tidak pernah _____ kerja rumah saya

f. Saya sering _____ foto ke Instagram

g. Pada hujung minggu saya _____ basikal

h. _____ bangun pada pukul lapan

Unit 18. Saying what I do at home: READING

Nama saya Fami. Saya dari Labuan. Saya ada kucing di rumah. Saya selalu bangun awal, jam lima setengah. Kemudian, saya pergi ke gim dan bersukan. Saya mandi apabila saya pulang. Tetapi abang saya Joe sangat malas dan tidak aktif. Dia bangun jam tujuh. Joe tidak pernah bermain bola sepak, dan bersukan. Dia gemuk. Pada sebelah petang, saya membaca komik di bilik tidur saya atau mendengar muzik. Pada hujung minggu, saya pulang ke rumah dan membuat kerja rumah di ruang tamu bersama ibu. Saya suka ibu saya kerana dia bijak dan sentiasa membantu saya. Akhirnya, saya tidur pada jam sembilan, di bilik tidur saya.

Nama saya Fazli. Saya orang Kelantan. Saya selalu bangun awal, sekitar enam setengah. Kemudian saya mandi dan gosok gigi di bilik mandi. Saya tidak sarapan pagi tetapi kakak saya Salima makan bijirin untuk sarapan pagi di ruang makan bersama ayah saya. Saya pergi ke sekolah dengan berjalan kaki. Saya pulang pada jam tiga setengah dan kemudian saya berehat sekejap. Saya biasanya menonton televisyen di ruang tamu. Kemudian, saya melayari internet, menonton siri di Netflix, atau menonton video TikTok di dalam bilik saya. Kemudian, pada jam lapan, saya menyediakan makan malam dengan ibu saya di dapur. Saya suka menyediakan salad kerana ia lazat. Saya tidur lewat, jam sepuluh.

Nama saya Edi dan saya tinggal di Brunei. Setiap hari saya bangun jam lima pagi. Kemudian saya mandi dan sarapan pagi di taman. Saya keluar rumah pada jam tujuh dan pergi ke sekolah dengan menunggang kuda. Apabila saya pulang ke rumah, saya Skype dengan keluarga saya di Malaysia dan melayari internet di bilik tidur saya. Selepas itu, saya menunggang basikal di taman dengan dua anjing saya. Kadang-kadang saya menonton kartun dan memuat naik gambar ke Instagram di bilik tidur abang saya. Abang saya Samuel memuat naik video TikTok tarian baharunya. Saya sangat menyukai abang saya kerana dia sangat kelakar dan aktif. Menari dengan baik! Saya selalu berbual dan bermain kad dengannya. Kamel adalah kawan baik saya di dunia ini.

1. Answer the following questions about Fami

a. Where is he from?

b. What animal does he have?

c. What does he do after he wakes up?

d. Why is Joe fat?

e. Where does he do his homework on weekdays?

f. Who helps him with his homework?

g. Where does he go to bed?

2. Find the Malay for the phrases below in Edi's text

a. I get up

b. then I shower

c. I go to school

d. by horse

e. I go on the internet

f. uploads videos to TikTok

g. new dances

h. I always chat

3. Find Someone Who

a. ...wakes up earliest

b. ...gets helps with their homework from a family member

c. ...likes to watch videos of people dancing

d. ...has nothing for breakfast

e. ...has a really lazy brother

f. ...likes to prepare healthy food

g. ...has a family member that is their best friend

h. ...goes to school in the most exciting way

4. Find the Malay for the following phrases/ in Fazli's text

a. I am Kelantanese

b. I wake up early

c. I have nothing for breakfast

d. Salima eats cereals

e. In the dining room

f. In the living room

g. I watch TikTok videos

Unit 18. Saying what I do at home: WRITING

1. Split sentences

Saya berbual-bual	makanan
Saya berehat di	pagi
Saya sediakan	dengan ibu saya
Memuat naik gambar	bilik tidur saya
Membuat	gigi
Bangun	di Instagram
Bermain	komputer
Menggosok	kerja rumah saya

2. Complete with the correct option

a. Saya bangun pada jam enam _____

b. Saya bermain bola sepak di _____

c. Saya menonton televisyen di _____

d. Saya mendengar muzik di _____

e. Saya menyediakan _____ dengan bapa saya

f. Saya menggosok _____

g. Saya _____ kartun

h. Saya _____ ke sekolah dengan menunggang kuda

ruang tamu	menonton	gigi	pergi
bilik tidur	makanan	pagi	taman

3. Spot and correct the grammar and spelling mistakes note: in some cases a word is missing

a. Saya mandy di bilik mandi

b. Sayaa sarapan pagi di dapur

c. Saya membacaa di dalam bilik tidur saya

d. Saya bermain computer

e. Saya keluar rumah pada pukul lapan pagy

f. Kakak saya membuat kerja ruumah

g. Saya melihat siri di Netflix

h. Saya pergi ke sekolah dengan menaiki basikal

i. Ini bilik tidur abang sayaa

4. Complete the words

a. Saya m_____ s_____ *I have breakfast*

b. di d_____ *the kitchen*

c. bi_____ s_____ *my bedroom*

d. bi_____ b_____ *my studyroom*

e. s____ k____ d___ r_____ *I leave the house*

f. di r_____ t_____ *in the living room*

g. di r_____ m_____ *in the dining room*

h. di b_____ m_____ *in the bathroom*

i. s_____ m_____ f__ di b__ a__ s__

I watch films in my brother's bedroom

5. Guided writing – write 3 short paragraphs in the first person I using the details below

Person	Gets up	Showers	Has breakfast	Goes to school	Evening activity 1	Evening activity 2
Landy	6.15	In bathroom	Kitchen	With brother	Watch tv in living room	Prepare food in the kitchen
Graham	7.30	In shower	Dining room	With mother	Read book in bedroom	Talk to family on skype
Ezira	6.45	In bathroom	Living room	With Uncle	Listen to music in garden	Upload photos to instagram

Grammar Time 16: Compound Prepositions

Ada *There is* **Tidak ada** *There isn't any*			
Saya *I* **Aku** *I (inf)* **Anda** *you* **Kamu** *you (inf)* **Dia** *s/ he* **Mereka** *they* **Kawan saya** *my friend* **Bapa anda** *your dad* **Kakak saya** *My older sibling* **Datuk saya** *My grandpa* **Sepupu saya** *My cousin* **Kawan saya Alia** *My friend Alia*	**meletakkan** *put* **memasukkan** *put (something into)* **melihat** *saw*	**bekas pensel** *pencil case* **beg sekolah** *school bag* **buku dan majalah** *books and magazines* **makanan dan minuman** *food and drink* **pakaian** *clothes* **piring dan mangkuk** *plates and bowls* **telefon bimbit** *mobile phone*	**di atas** *on top of/ above* **di bawah** *under/ below* **di belakang** *behind* **di dalam** *inside* **dekat** *near* **di depan/ hadapan** *in front of* **di luar** *outside* **di sebelah/ tepi** *next to* **di sekitar/ sekeliling** *around*

		di antara *between*	**buku** *book* **komputer** *computer* **lampu** *light* **tingkap** *window*	**dan** *and*	**pintu** *door* **surat khabar** *newspaper*

Items in the rightmost nouns column:

almari *cupboard*
almari buku *bookcase*
beg *bag*
beg sekolah *school bag*
komputer *computer*
kerusi *chair*
meja *table*
meja makan *dining table*
meja tulis *desk*
peti sejuk *refrigerator*
pintu *door*
segelas air *a glass of water*
secawan kopi *a cup of coffee*
secawan teh *a cup of tea*
tingkap *window*

Prepositions of Place

di atas	*on top of, above*
di bawah	*under*
di belakang	*behind*
di depan	*in front of*
dekat	*near*
di dalam	*inside*
di sebelah	*next to*
di sekeliling	*around*
di antara	*between*

1. Complete the table of prepositions

Malay	English
	inside
dekat	
	in front of
di luar	
	around
di bawah	
	behind
di atas	
	between

2. Complete with the appropriate preposition

a. Pakaian ada _____ kerusi

The clothes are on top of the chair

b. Saya menaiki motosikal _____ kebun

I ride my bike around the garden

c. Ada banyak majalah _____meja

There are many magazines under the table

d. Biasanya dia meletakkan kereta _____ rumah

Usually he parks the car in front of the house

e. Daya memasukkan telefon bimbitnya _____ beg dia

Daya put her mobile phone inside her bag

f. Ada teres _____ garaj

There is a terrace behind the garage

g. Saya sering berehat _____ kolam renang

I often relax next to the swimming pool

h. Bilik mandi _____ dengan bilik makan

The bathroom is near the dining room

3. Match the phrases

a. di antara rumah   *behind the table*

b. di sekitar kota   *under the chair*

c. di atas katil   *in front of the computer*

d. di belakang meja   *next to the garage*

e. di depan komputer   *around the city*

f. di samping garaj   *between the houses*

g. di bawah kerusi   *on top of the bed*

4. Translate into English

a. Ada seekor kucing hitam di belakang kerusi

b. Ada banyak buku di dalam almari buku itu

c. Dia meletakkan makanan di atas meja makan

d. Tidak ada komputer dekat dengan bilik tidur dia

5. Translate into Malay

a. There is a computer on the desk

b. He put the books inside his schoolbag

c. The car is in front of the house

d. The swimming pool is between the house and the garage

UNIT 19
My holiday plans
(Talking about future plans for holidays)

Revision Quickie 6: Daily routine/ House/ Home Life/ Holidays
Question Skills 4: Daily routine/ House/ Home Life/ Holidays

In this unit you will learn how to talk about:

- What you intend to do in future holidays
- Where you are going to go
- Where you are going to stay
- Who you are going to travel with
- How it will be
- Means of transport

You will revisit:
- The verb 'akan pergi'
- Free-time activities
- Previously seen adjectives

UNIT 19
My holiday plans

Musim panas ini..... *This summer....*	Johor Kuala Lumpur Pulau Pinang Singapura Sydney	**menaiki bas** *by bus* **menaiki feri** *by ferry* **menaiki kapal terbang** *by plane* **menaiki kereta** *by car*	
Saya akan pergi ke *I am going to go to* **Saya akan bercuti ke** *I am going to go on holiday to* **Kami akan bercuti ke** *We are going to go on holiday to*			
Saya akan menghabiskan *I will spend* **Kami akan menghabiskan** *We will spend*	**seminggu** *one week* **dua minggu** *two weeks*	**di sana** *there* **dengan keluarga saya** *with my family*	**Ini akan membosankan** *It will be boring*
Saya akan tinggal di *I am going to stay in* **Kami akan tinggal di** *We are going to stay in*	**rumah keluarga saya** *my family's house* **kawasan perkhemahan** *a campsite* **hotel murah** *a cheap hotel* **hotel mewah** *a luxury hotel*		**Ini akan menyeronokkan** *It will be fun*
Saya akan ... *I am going ...* **Kami akan ....** *We are going ...* **Saya ingin...** *I would like ...* **Kami ingin...** *We would like ...*	**bersantai/berehat** *to rest* **bersukan** *to do sport* **bersiar-siar** *to go sightseeing* **bermain dengan kawan-kawan saya** *to play with my friends* **berbasikal** *to go biking* **bermain ukelele** *to play the ukulele* **berjemur** *to sunbathe* **menari** *to dance* **makan dan tidur** *to eat and sleep* **makan makanan sedap** *to eat delicious food* **membeli cenderamata** *to buy souvenirs* **menyelam** *to go diving* **membeli-belah** *to go shopping* **pergi ke majlis** *to go to a party* **pergi ke pantai** *to go to the beach* **pergi ke pusat bandar** *to go the town centre*		**Ini akan menakjubkan** *It will be awesome* **Ini akan merehatkan** *It will be relaxing*

Unit 19. My holiday plans: VOCABULARY BUILDING

1. Match up

saya akan pergi	I'm going to go
menghabiskan	a campsite
saya akan menginap	to spend
hotel murah	it will be awesome
kawasan perkhemahan	I'm going to stay
saya ingin	to buy
membeli	a cheap hotel
menakjubkan	I would like to

2. Complete with the missing word

a. Makan dan _____ *To eat and sleep*

b. Saya akan _____ *I am going to rest*

c. Saya _____ pergi ke… *I would like to go to…*

d. _____ dengan kawan-kawan *To play with friends*

e. ____ ____ menginap di… *I am going to stay in…*

f. ____ _____ membosankan *It will be boring*

g. Kami akan _____ *We are going to spend…*

h. Saya akan _____ *I'm going to travel by plane*

i. Saya akan _____ dua minggu di sana dengan _____ saya *I am going to spend two weeks there with my family*

3. Translate into English

a. Musim panas ini saya akan pergi ke Pulau Langkawi

b. Saya akan menghabiskan tiga minggu di sana

c. Saya akan ke Sydney menaiki kapal terbang

d. Kami akan pergi membeli-belah

e. Saya ingin pergi ke pusat bandar

f. Saya akan bermain dengan kawan-kawan saya

g. Kami ingin makan dan tidur

h. Saya akan berehat setiap hari

i. Saya akan bersukan dengan adik saya

4. Broken words

a. Ma___ dan ti___ *To eat and sleep*

b. Kami akan mengi___ *We are going to stay*

c. Saya akan ber____ *I am going to spend*

d. Saya ingin pe___ ke… *I would like to go to…*

e. Pergi ke pan___ *To go to the beach*

f. Pergi berbasi___ *To go biking*

g. Berje___ *To sunbathe*

h. Ini akan m___ *It will rest*

5. 'Pergi', 'Bermain', 'Ber-' or 'Me-'?

a. _____ belanja

b. _____ ke pusat bandar

c. _____ bersiar-siar

d. _____ bola sepak

e. _____ nyelam

f. _____ ke majlis

g. _____ basikal

h. _____ sukan

i. _____ catur

j. _____ ke pantai

6. Bad translation – spot any translation errors and fix them

a. Musim panas ini kami akan…: *Last summer I will…*

b. Saya akan ke Singapura bersama bapa saya : *I am going to go to Singapore with my mother*

c. Saya akan makan dan tidur: *I am going to drink and sleep*

d. Saya ingin berehat banyak: *I would like to rest a bit*

e. Kami akan menginap di hotel: *I am going to stay in a hotel*

f. Saya akan menghabiskan dua minggu di sana: *I am going to spend two weeks here*

g. Kami akan menaiki keretapi dan bot: *I am going to travel by coach and ship*

h. Saya akan tinggal di rumah keluarga saya: *We are going to stay in my family's house*

Unit 19. My holiday plans: READING (Part 1)

Nama saya Ali. Saya berasal dari Johor tetapi saya tinggal di Putrajaya. Pada musim panas ini saya akan bercuti ke Pulau Langkawi, di Kedah. Saya akan pergi menaiki bot dengan kawan saya Ahmad. Kami akan menghabiskan empat minggu di sana dan kami akan pergi ke pantai pada setiap hari. Kami juga akan makan makanan yang sedap. Saya tidak suka percutian kerana ia sangat membosankan. Saya lebih suka berjemur di pantai.

Nama saya Daud. Saya berasal dari Kelantan. Dalam keluarga saya ada empat orang. Saya suka isteri saya, Anna. Pada musim panas, kami akan pergi ke Singapura dan kemudian ke Jakarta, Indonesia. Saya berehat dan membaca buku di Singapura dan kemudian pergi bermain luncur air dan berjumpa dengan kawan-kawan saya di Jakarta. Anna akan menunggang basikal dan makan makanan yang sedap, seperti mi goreng dan nasi lemak.

Nama saya Dina. Saya orang Itali, dari Venesia. Pada musim panas ini saya akan bercuti ke Mexico menaiki kapal terbang. Saya akan menghabiskan dua minggu di sana, sendirian, dan saya akan tinggal di dalam karavan di tepi pantai. Saya akan melawat monumen, muzium dan galeri seni. Saya tidak suka bersukan, tetapi saya suka menari. Ia lebih menarik.

Nama saya Diana. Saya orang Malaysia dan berasal dari Kuala Lumpur. Pada musim panas ini saya akan bercuti ke Pulau Tioman dengan menaiki kapal terbang. Saya akan menghabiskan dua minggu di sana seorang diri. Saya akan tinggal di dalam karavan di tepi pantai. Saya akan melawat monumen, muzium dan galeri seni. Saya tidak suka sukan, tetapi saya suka kesenian. Ia lebih menarik.

1. Find the Malay for the following in Ali's text

a. I am from…

b. But I live in…

c. I am going to travel by…

d. With my boyfriend…

e. We are going to spend…

f. Every day…

g. I am not going to…

h. I prefer to sunbathe…

2. Find the Malay for the following in Dina's text

a. by plane…

b. I have a lot of time…

c. I am going to spend…

d. I love to dance…

e. so/therefore…

f. also…

g. it is very boring

3. Complete the following statements about Daud

a. He is from _____

b. His favourite person is _____

c. They will travel to _____ and _____

d. Daud is going to _____ and _____

e. Anna is going to _____ and _____

4. List any 8 details about Dina (in 3rd person) in English

1.

2.

3.

4.

5.

6.

7.

8.

5. Find Someone Who…

a. …likes being out at sea for long periods

b. …loves learning about culture

c. …prefers the beach to going sightseeing

d. …has similar interests to Dina

e. …is going to travel by boat

THE LANGUAGE GYM

Nama saya Nina Sirat. Saya berasal dari Perak. Saya ada kura-kura di rumah. Ia bergerak sangat perlahan dan gemuk tetapi saya menyukainya. Pada musim panas ini saya akan pergi bercuti ke Melaka bersama keluarga saya. Saya akan menaiki kapal terbang dan kemudian dengan kereta. Kami akan menghabiskan tiga minggu di Sungai Melaka dan kami akan menginap di sebuah hotel mewah. Ini amat menyeronokkan! Kemudian kami akan memandu ke Bandar Melaka dan kami akan melihat monumen terkenal, seperti Menara Taming Sari. Saya akan makan makanan yang lazat; Saya suka asam pedas Melaka. Saya akan pergi membeli-belah pada setiap hari dan membeli pakaian tradisional Melaka.

Nama saya Jasifina dan saya tinggal di Granada, di selatan Sepanyol. Pada musim panas ini saya akan pergi ke Bukit Nanas, di Kuala Lumpur. Saya akan pergi dengan kapal terbang dan kemudian dengan kereta api. Saya akan menghabiskan dua minggu di sana dan saya akan tinggal di hotel murah. Di Bukit Nanas saya ingin melawat menara yang sangat terkenal bernama Menara KL. Ia adalah menara yang sangat besar dan cantik yang direka oleh Kumpulan Senireka. Saya juga akan pergi ke pantai. Pantai Port Dickson sangat kotor jadi saya akan pergi dengan kereta api ke bandar bernama Nilai. Pantai di sana sangat menakjubkan! Saya ada seorang kawan di Nilai bernama Alicia. Kami akan bersembang di tepi pantai dan berjemur bersama. Ini amat menyeronokkan dan sangat santai.

Nama saya Fadli. Saya dari Langkawi, Kedah. Pada musim panas ini saya akan bercuti ke bandar Cuzco di selatan Peru, bersama abang saya Bian. Kami akan menaiki kapal terbang dan kami akan menghabiskan masa dua minggu di sana. Di Peru kami akan melawat tempat yang sangat istimewa: runtuhan Inca Machu Picchu. Ia akan menyeronokkan. Di Cuzco kami akan pergi mendaki di pergunungan. Ia sangat susah dan sejuk. Pada masa lapang saya mahu berehat dan bermain muzik. Saya suka menyanyi dan abang saya Bian sangat suka bermain gitar. Kumpulan kegemaran kami dipanggil Exist. Muzik kegemaran saya iaitu muzik rock.

1. Answer the following questions about Nina Sirat

a. Where is she from?

b. What animal does she have?

c. Who will she go on holiday with?

d. Where will they stay?

e. How will they get to Melaka?

f. What is the Menara?

g. What will she do every day?

2. Find the Malay in Jasifina's text

a. This summer

b. And then

c. Which is called

d. Tower

e. Designed by

f. A bit ugly

g. The beach there

h. Sunbathe together

3. Find Someone Who...

a. ...is going to Bandar Melaka

b. ...has a brother who is a musician

c. ...has a slow moving pet

d. ...is going to be walking in the mountains

e. ...is going to visit a famous Menara

f. ...is going to visit a famous palace

g. ...is going to visit the oldest historical site

h. ...is planning to relax on the beach

4. Find the Malay for the following phrases/sentences in Fadli's text

a. My brother Bian

b. The Incan ruins

c. It will be very impressive

d. It will be tough

e. I would like to rest

f. To play the guitar

g. Our favourite group

Unit 19. My holiday plans: TRANSLATION/WRITING

1. Gapped translation

a. *I am going to go on holiday:* **Saya akan _____**

b. *I am going to travel by car:* **Saya akan menaiki _____**

c. *We are going to spend one week there:*

Kami akan _____

d. *I am going to stay in a cheap hotel:*

_____ _____ menginap di hotel _____

e. *We are going to eat and sleep every day:*

Kami ___ makan dan _____ setiap _____

f. *When the weather is nice I am going to go to the beach:*
Apabila cuaca _____ saya akan pergi ke _____

g. *I am going to go shopping:* **Saya akan _____**

2. Translate to English

a. Makan

b. Membeli

c. Berehat

d. Bersiar-siar

e. Pergi ke pantai

f. Setiap hari

g. Dengan kapal terbang

h. Pergi menyelam

i. Pergi ke pusat bandar

3. Spot and correct the grammar and spelling mistakes note: in several cases a word is missing

a. Saya akan bersuukan

b. Saya akan menghabiskan satu minggu di sanaa

c. Saya akan menginap hotel mewah

d. Kami akan meninap di hotel

e. Saya ingin bermain sepak

f. Kami pusat bandar

g. Saya akan pergi pantai

h. Saya akan bermain kawan

4. Categories: Positive or Negative?
Write P or N

a. Ia akan menyeronokkan: ___P__

b. Ia akan membosankan: _____

c. Ia akan bagus: _____

d. Ia akan menarik: _____

e. Ia akan teruja: _____

f. Ia akan malas: _____

g. Ia akan rajin: _____

h. Ia akan jemu: _____

i. Ia akan baik: _____

j. Ia akan usang: _____

5. Translate into Malay

a. I am going to rest

b. I am going to go diving

c. We are going to go to the beach

d. I am going to sunbathe

e. I would like to go sightseeing

f. I am going to stay in...

g. ...a cheap hotel

h. We are going to spend 2 weeks

i. I am going to go by plane

j. It will be fun

Revision Quickie 6: Daily Routine/ House/ Home life/ Holidays

1. Match-up

Di sekitar	In the garden
Di ruang tamu	In the living room
Di dapur	In my bedroom
Di rumah saya	In my house
Di taman	In the guest room
Di bilik tidur saya	In the dining room
Di bilik makan	In the bathroom
Di bilik mandi	In the kitchen
Di bilik tetamu	Around/Surrounding

2. Complete with the missing letters

a Saya ma_____	*I shower*
b. Saya ba_____	*I get up*
c. Saya men____ televisyen	*I watch television*
d. Saya mem___ komik	*I read comics*
e. Saya ting_____ rumah	*I leave home*
f. Saya ti_____ di sekolah	*I arrive at school*
g. Saya me_____ bas	*I catch the bus*
h. Saya memakai p_____	*I get dressed*
i Saya makan sar_____	*I have breakfast*

3. Spot and correct any of the sentences below which do not make sense

a. Saya mandi di dalam peti sejuk

b. Saya makan di bilik mandi

c. Saya menyiapkan makanan di bilik tidur saya

d. Saya mencuci rambut di bilik tetamu

e. Saya pergi ke bilik tidur naik bas

f. Saya bermain tenis dengan kucing saya

g. Sofa itu ada di dapur

h. Saya menonton televisyen di bilik air

i. Saya tidur di dalam almari

j. Saya memandu kereta ke bilik tidur saya

4. Split sentences

Saya menonton	menaiki bas
Saya mendengar	iaitu bijirin
Saya membaca	televisyen
Saya ke sekolah	pejabat
Sarapan pagi saya	kopi
Saya akan ke Jepun	komik
Saya minum	kerja rumah saya
Saya memuat naik	dengan kapal terbang
Saya membuat	foto ke Instagram
Saya membersihkan	kad
Saya bekerja di	bilik tidur saya
Saya bermain	komputer

5. Match the opposites

Baik	**Sakit**
Ramah	**Jahat**
Cantik	**Pendek**
Seronok	**Pendiam**
Sihat	**Hodoh/Buruk**
Panjang	**Bosan**
Mahal	**Cepat**
Perlahan	**Tinggi**
Kurus	**Murah**
Besar	**Gemuk**
Rendah	**Kecil**

6. Complete with the missing words

a. Saya akan ke Jepun _____ kapal terbang

b. Saya akan bercuti _____ ibu dan bapa saya

c. Saya tidak pernah_____bola sepak

d. Ali _____ kriket

e. Saya menginap di _____mewah

f. Saya ke taman dua _____ seminggu

g. Saya _____ Internet

7. Draw a line in between each word

a. Sayasangatsukabermainbolakeranjang

b. Sayamenontontelevisyendanmendengarmuzik

c. Padamasalapangsayabermainvideointeraktif

d. SayaakankePerakmenaikikereta

e. Sayaakanmenginapdihotelmewah

f. Setiappagisayaakanpergikepantai

g. Sayaakanberbelanjapadaharisabtu

h. Sayatidakpernahmembuatkerjarumah

8. Spot the translation mistakes and correct them

a. Saya bangun pagi: *I go to bed early*

b. Saya benci bola keranjang: *I hate volleyball*

c. Saya akan pergi ke kolam renang: *I am going to go to the beach*

d. Kita tidak membuat apa-apa: *I am not going to do anything*

e. Saya akan berenang: *I am going to run*

f. Saya akan menaiki kereta : *I am going to travel by plane*

g. Saya akan menginap di hotel mewah: *I am going to stay in a cheap hotel*

h. Saya akan menonton filem: *I am going to watch a series*

9. Translate into English:

a. Saya menaiki kapal terbang

b. Saya akan pergi

c. Saya akan tinggal

d. Saya mandi

e. Saya menonton filem

f. Saya membersihkan bilik tidur

g. Saya makan sayur-sayuran

h. Saya makan telur untuk sarapan

i. Saya tidak membuat apa-apa

j. Saya membuat kerja di komputer

10. Translate into Malay

a. I shower then I have breakfast

b. Tomorrow I am going to go to Japan

c. I tidy up my room every day

d. I never play basketball

e. I get up early

f. I eat a lot for breakfast

g. I am going to go to Kelantan by car

h. In my free time I play chess and read books

i. I spend many hours on the Internet

11. Translate into Malay

a. have dinner: M_ _ _ _ M _ _ _ _ _

b. to watch: M_ _ O_ _ _ _ _

c. to do: M_ M _ _ _ T

d. to clean: M_ _ B_ _ S _ _ K_ _

e. to read: M_ _B_ _ _

f. to work: B_ K E_ _ _ _

g. to relax: B_ _R_ _ _ _

h. to tidy up: M_ _ GEMAS

i. to rest: B_ _ _ H A T

Question Skills 4: Daily routine/ House/ Home life/ Holidays

1. Complete the questions with the correct option

a. Pada pukul _____kamu bangun?

b. _____ Kamal sedang buat pada masa lapang?

c. _____ anda pergi selepas sekolah?

d. _____ kamu belajar di bilik komputer?

e. Anda bermain Playstation dengan _____ ?

f. _____ kamu tidak bersukan?

g. Anda pergi_____ pada malam Jumaat?

h._____ bilik kegemaran anda?

i. _____ rumah anda?

j. _____ nama kakak anda?

k. _____ anda buat di perpustakaan?

l. _____ anda suka bermain tenis?

m. _____ anda bermain tenis?

berapa	Di manakah	Apakah	Dengan siapa
siapa	Mengapa	Apakah	ke mana

2. Split questions

Apa yang anda lakukan	untuk sarapan?
Anda makan apa	di perpustakaan?
Adakah	anda bermain tenis?
Dengan siapa	anda bersukan?
Pukul berapa	bilik tidur di rumah anda?
Berapa	anda pulang ke rumah?
Di mana	rumah anda?
Bagaimanakah anda	ibu di rumah?
Adakah anda membantu	pergi ke sekolah?

3. Translate into Malay

a. Who?

b. When?

c. With who?

d. Why?

e. How many?

f. How much?

g. Which ones?

h. Where to?

i. Do you do…?

j. Can you…?

k. Where is…?

l. How many hours?

m. How many people?

4. Translate

a. Where is your room?

b. Where do you go after school?

c. What do you do in your free time?

d. Until what time do you study?

e. How long do you spend on the Internet?

f. What is your favourite pastime?

g. What do you do to help in the house?

 THE LANGUAGE GYM

VOCABULARY TESTS

On the following pages you will find one vocabulary test for every unit in the book. You could set them as class assessments or as homeworks at the end of a unit. Students could also use them to practice independently.

1a. Translate the following sentences (worth one point each) into Malay

What is your name?	
My name is Mohd Ali	
How old are you?	
I am five years old	
I am seven years old	
I am nine years old	
I am ten years old	
I am eleven years old	
I am twelve years old	
I am thirteen years old	
Score	/10

1b. Translate the following sentences (worth two points each) into Malay

What is your brother called?	
What is your sister called?	
My brother is called Mahadi	
My sister is fourteen years old	
My brother is fifteen years old	
I don't have any siblings	
My name is Razak and I am Malay	
I have a brother who is called Faizal	
I live in the capital of Malaysia	
I live in the capital of Singapore	
Score	/20

1a. Translate the following sentences (worth one point each) into Malay

My name is Mohd Ali	
I am eleven years old	
I am fifteen years old	
I am eighteen years old	
The 3rd May	
The 4th April	
The 5th June	
The 6th September	
The 10th October	
The 8th July	
Score	**/10**

1b. Translate the following sentences (worth two points each) into Malay

I am 17. My birthday is on 21st June	
My brother is called Razak. He is 19	
My sister is called Mariah. She is 22	
My brother's birthday is on 23rd March	
My name is Faizal. I am 15. My birthday is on 27th July	
My name is Mohd Ali. I am 18. My birthday is on 30th June	
When is your birthday?	
Is your birthday in October or November?	
My brother is called Pahmi. His birthday is on 31st January	
Is your birthday in May or June?	
Score	**/20**

1a. Translate the following sentences (worth one point each) into Malay

Black hair	
Dark brown (black) eyes	
Blonde hair	
Blue eyes	
My name is Rashidah	
I am 12 years old	
I have long hair	
I have short hair	
I have green eyes	
I have brown eyes	
Score	**/10**

1b. Translate the following sentences (worth two points each) into Malay

I have grey hair and grey eyes	
I have red straight hair	
I have curly white hair	
I have brown hair and brown eyes	
I wear glasses and have spikey hair	
I don't wear glasses and I have a beard	
My brother has blond hair and has a moustache	
My brother is 22 years old and has a short hair	
Do you wear glasses?	
My sister has blue eyes and wavy black hair	
Score	**/20**

1a. Translate the following sentences (worth one point each) into Malay

My name is	
I am from	
I live in	
In a house	
In a modern building	
In an old building	
On the outskirts	
In the centre	
On the coast	
In Kuala Lumpur	
Score	**/10**

1b. Translate the following sentences (worth two points each) into Malay

My brother is called Pahmi	
My sister is called Alimaton	
I live in an old building	
I live in a modern building	
I live in a beautiful house on the coast	
I live in an ugly house in the centre	
I am from Melaka but live in the centre of Kuala Lumpur	
I am 15 years old and I am Malay	
I am Malay, from Penang but I live in Putrajaya, in Malaysia	
I live in a small apartment in the countryside	
Score	**/20**

1a. Translate the following sentences (worth one point each) into Malay

My younger brother	
My older brother	
My older sister	
My younger sister	
My father	
My mother	
My uncle	
My auntie	
My male cousin	
My female cousin	
Score	**/10**

1b. Translate the following sentences (worth two points each) into Malay

In my family there are four people	
My father, my mother and two brothers	
I don't get along with my older brother	
My older sister is 22	
My younger sister is 16	
My grandfather is 78	
My grandmother is 67	
My uncle is 54	
My auntie is 44	
My female cousin is 17	
Score	**/20**

1a. Translate the following sentences (worth one point each) into Malay	
Tall	
Short	
Ugly	
Good-looking (masculine)	
Generous	
Boring	
Intelligent	
Muscular	
Good	
Fat	
Score	**/10**

1b. Translate the following sentences (worth two points each) into Malay	
My mother is strict and boring	
My father is stubborn and unfriendly	
My older sister is intelligent and hard-working	
My younger sister is sporty	
In my family I have five people	
I get along with my older sister because she is nice	
I don't get along with my younger sister because she is annoying	
I love my grandparents because they are funny and generous	
What are your parents like?	
My uncle and auntie are fifty and I don't get along with them	
Score	**/20**

1a. Translate the following sentences (worth one point each) into Malay

A horse	
A rabbit	
A dog	
A turtle	
A bird	
A parrot	
A duck	
A guinea pig	
A cat	
A mouse	
Score	**/10**

1b. Translate the following sentences (worth three points each) into Malay

I have a white horse	
I have a green turtle	
At home we have two fish	
My sister has a spider	
I don't have pets	
My friend Pahmi has a blue bird	
My cat is very fat	
I have a snake that is called Adam	
My duck is funny and noisy	
How many pets do you have at home?	
Score	**/30**

1a. Translate the following sentences (worth one point each) into Malay

He is a cook	
He is a journalist	
She is a waitress	
She is a nurse	
He is a househusband	
She is a doctor	
He is a teacher	
She is a businesswoman	
He is a hairdresser	
She is a farmer	
Score	**/10**

1b. Translate the following sentences (worth three points each) into Malay

My uncle is a cook	
My mother is a nurse	
My grandparents don't work	
My sister works as a teacher	
My auntie is an actress	
My (male) cousin is a student	
My (male) cousins are lawyers	
He doesn't like it because it is hard	
He likes it because it is gratifying	
He hates it because it is stressful	
Score	**/30**

1a. Translate the following sentences (worth two points each) into Malay

He is taller than me	
He is more generous than her	
She is less fat than him	
He is slimmer than her	
She is better looking than him	
She is more talkative than me	
I am more funny than him	
My dog is less noisy	
My rabbit is more fun	
She is as talkative as me	
Score	**/20**

1b. Translate the following sentences (worth 3 points each) into Malay

My brother is stronger than me	
My mother is shorter than my father	
My uncle is better looking than my father	
My older sister is more talkative than my younger sister	
My sister and I are taller than my cousins	
My grandfather is less strict than my grandmother	
My friend Paco is friendlier than my friend Felipe	
My rabbit is quieter than my duck	
My cat is fatter than my dog	
My mouse is faster than my turtle	
Score	**/30**

1a. Translate the following sentences (worth one point each) into Malay

I have a pen	
I have a ruler	
I have a rubber	
In my bag	
In my pencil case	
My friend Paco	
Pedro has	
I don't have	
A purple exercise book	
A yellow pencil sharpener	
Score	/10

1b. Translate the following sentences (worth three points each) into Malay

In my schoolbag I have four books	
I have a yellow pencil case	
I have a red schoolbag	
I don't have black markers	
There are two blue pens	
My friend Paco has a pencil sharpener	
Do you guys have a rubber?	
Do you have a red pen?	
Is there a ruler in your pencil case?	
What is there in your schoolbag?	
Score	/30

1a. Translate the following sentences (worth three points each) into Malay

I don't like milk	
I love meat	
I don't like fish much	
I hate chicken	
Fruit is good	
Honey is healthy	
I prefer mineral water	
Milk is disgusting	
Chocolate is delicious	
Cheese is unhealthy	
Score	/30

1b. Translate the following sentences (worth five points each) into Malay

I love chocolate because it is delicious	
I like apples a lot because they are healthy	
I don't like red meat because it is unhealthy	
I don't like sausages because they are unhealthy	
I love fish with potatoes	
I hate seafood because it is disgusting	
I like fruit because it is light and delicious	
I like spicy chicken with vegetables	
I like eggs because they are rich in protein	
Roast chicken is tastier than fried fish	
Score	/50

1a. Translate the following sentences (worth one point each) into Malay

I have breakfast	
I have lunch	
I have afternoon 'snack'	
I have dinner	
It is delicious	
It is light	
It is disgusting	
It is refreshing	
It is healthy	
It is sweet	
Score	**/10**

1b. Translate the following sentences (worth three points each) into Malay

I eat eggs and coffee for breakfast	
I have seafood for lunch	
I never have dinner	
For snack I have two 'toasts'	
In the morning I usually eat fruit	
I love meat because it is tasty	
From time to time I eat cheese	
In the evening I eat little	
We eat a lot of meat and fish	
I don't eat sweets often	
Score	**/30**

1a. Translate the following sentences (worth two points each) into Malay

A red skirt	
A blue suit	
A green scarf	
Black trousers	
A white shirt	
A brown hat	
A yellow T-shirt	
Blue jeans	
A purple tie	
Grey shoes	
Score	**/20**

1b. Translate the following sentences (worth three points each) into Malay

I often wear a black baseball cap	
At home I wear a blue track suit	
At school we wear a green uniform	
At the beach I wear a red bathing suit	
My sister always wears jeans	
My brother never wears a watch	
My mother wears branded clothes	
I very rarely wear suits	
My girlfriend wears a pretty dress	
My brothers always wears trainers	
Score	**/30**

1a. Translate the following sentences (worth two points each) into Malay

I do my homework	
I play football	
I go rock climbing	
I go cycling	
I do weights	
I go to the swimming pool	
I do sport	
I go horse riding	
I play tennis	
I go to the beach	
Score	**/20**

1b. Translate the following sentences (worth five points each) into Malay

I never play basketball because it is boring	
I play PlayStation with my friends	
My father and I go fishing from time to time	
My brother and I go to the gym every day	
I do weights and go jogging every day	
When the weather is nice, we go hiking	
When the weather is bad, I play chess	
My father goes swimming at the weekend	
My younger brothers go to the park after school	
In my free time, I go rock climbing or to my friend's house	
Score	**/50**

1a. Translate the following sentences (worth two points each) into Malay

When the weather is nice	
When the weather is bad	
When it is sunny	
When it is cold	
When it is hot	
I go skiing	
I play with my friends	
I go to the mall	
I go to the gym	
I go on a bike ride	
Score	**/20**

1b. Translate the following sentences (worth four points each) into Malay

When the weather is nice, I go jogging	
When it rains, we go to the sports centre and do weights	
At the weekend, I do my homework and a bit of sport	
When it is hot, she goes to the beach or goes cycling	
When I have time, I go jogging with my father	
When there are storms, we stay at home and play cards	
When it is sunny and the sky is clear, they go to the park	
On Fridays and Saturdays, I go clubbing with my girlfriend	
We never do sport. We play on the computer or on PlayStation	
When it snows, we go to the mountain and ski	
Score	**/40**

1a. Translate the following sentences (worth one point each) into Malay

I get up	
I have breakfast	
I eat	
I drink	
I go to bed	
Around six o' clock	
I rest	
At noon	
At midnight	
I do my homework	
Score	**/10**

1b. Translate the following sentences (worth three points each) into Malay

Around 7.00 in the morning I have breakfast	
I shower then I get dressed	
I eat then I brush my teeth	
Around 8 o'clock in the evening I have dinner	
I go to school by bus	
I watch television in my room	
I go back home at 4.30	
From 6 to 7 I play on the computer	
Afterwards, around 11.30, I go to bed	
My daily routine is simple	
Score	**/30**

1a. Translate the following sentences (worth one point each) into Malay

I live	
In a new house	
In an old house	
In a small house	
In a big house	
On the coast	
In the mountains	
In an ugly apartment	
On the outskirts	
In the centre of town	
Score	**/10**

1b. Translate the following sentences (worth three points each) into Malay

In my house there are four rooms	
My favourite room is the kitchen	
I enjoy relaxing in the living room	
In my apartment there are seven rooms	
My parents live in a big house	
My uncle lives in a small house	
We live near the coast	
My friend Pahmi lives on a farm	
My cousins live in Putrajaya	
My parents and I live in a cosy house	
Score	**/30**

1a. Translate the following sentences (worth one point each) into Malay

I chat with my mother	
I play on the PlayStation	
I read magazines	
I read comics	
I watch films	
I listen to music	
I rest	
I do my homework	
I go on a bike ride	
I leave the house	
Score	**/10**

1b. Translate the following sentences (worth three points each) into Malay

I never tidy up my room	
I rarely help my parents	
I brush my teeth three times a week	
I upload many photos onto Instagram	
Every day I watch series on Netflix	
I have breakfast at around 7.30	
After school I rest in the garden	
When I have time, I play with my brother	
I usually leave home at 8 o'clock	
From time to time I watch a movie	
Score	**/30**

1a. Translate the following sentences (worth two points each) into Malay

I am going to go	
I am going to stay	
I am going to play	
I am going to eat	
I am going to drink	
I am going to rest	
I am going to go sightseeing	
I am going to go to the beach	
I am going to do sport	
I am going to dance	
Score	**/20**

1b. Translate the following sentences (worth five points each) into Malay

We are going to buy souvenirs and clothes	
I am going to stay in a cheap hotel near the beach	
We are going to stay there for three weeks	
I am going to spend two weeks there with my family	
We are going to go on holiday to Argentina tomorrow	
We are going to Spain for two weeks and we are going to travel by plane	
I would like to do sport, go to the beach and dance	
We are going to spend 3 weeks in Italy and we are going to stay in a campsite	
We are going to go stay in a luxury hotel near the beach	
We are going to go sightseeing and shopping every day	
Score	**/50**

The End

We hope you have enjoyed using this workbook and found it useful!

As many of you will appreciate, the penguin is a fantastic animal. At Language Gym, we hold it as a symbol of resilience, bravery and good humour; able to thrive in the harshest possible environments, and with, arguably the best gait in the animal kingdom (black panther or penguin, you choose).

There are several hidden penguins (pictures)in this book,
did you spot them all?

Ingram Content Group UK Ltd.
Milton Keynes UK
UKHW051847140423
420189UK00006B/14